朝堂院大覚の生き様

ユーラシア帝国の実現を願った男

朝堂院大覚

説話社

はじめに

世の人々は、私のことを「最後のフィクサー」「最後の黒幕」などと呼ぶ。

それは私がかつて、国内外の政治家や財界人、学者、さらには裏社会の人々と深い関わりを持ち、ときには彼らの活動を支援してきたからだろう。

関わりをもった人々については本書の中で詳しく書いているが、国内では、内閣官房長官などを歴任した後藤田正晴をはじめ、田中角栄、中曽根康弘、竹下登、石原慎太郎がいる。海外では、パレスチナ解放機構（ＰＬＯ）議長のヤセル・アラファト、ドミニカのペニャ・ゴメス、ニカラグアのダニエル・オルテガ大統領、ナミビアのヌジョマ大統領、リビアのカダフィ、フィリピンのマルコス大統領などと交流を持ち、彼らの活動を支援した。

世界中を駆け巡り、彼らの活動を支え続けたのは、私の中にひとつの大きな理想があったからだ。

その理想こそが、本書のサブタイトルにある「ユーラシア帝国の実現」であり、これは「世界を統べること」、すなわち「世界をひとつにまとめる政治機構の設立」だった。

私が世界を飛び回っていた70〜80年代、いわゆる先進国を中心に世界経済が急成長をする一方で、さまざまな社会問題が顕在化していた。南北問題と呼ばれた世界的な経済格差。大国の思惑によって引き起こされる、貧しい国や地域での内戦や紛争。軍事技術の進歩による大規模戦争、大規模破壊の脅威。大量生産・大量消費・大量廃棄経済による公害や環境破壊。犠牲になるのは常に弱き人々、市井の民であった。それら地球規模の問題に対して、さまざまな国際条約が締結されたり、国際的な団体が組織されたりもしたが、大きな流れにおいては変わらなかった。

そこで私が目指したのが、世界を統べる政治機構の設立である。

世界統一機構のもと、世界憲法を制定し、格差や環境破壊を生み出す経済システムや、大量破壊兵器の開発と販売、人と人とが殺し合う戦争や紛争などを規制することで、全人類が共存共栄できる平和な世界が実現できるのではないか。そう考えたのだ。

本書は、ユーラシア帝国や世界統一機構という理想の実現のため、私がかつて、どのような活動を行ってきたかという、自らの足跡をまとめたものである。また、95年のオウム真理教黒幕疑惑に巻き込まれ、会社も資産も人脈もすべてを失ってしまったあとも、私の中に湧き出してくるさまざまな構想や世の中への提言についても書かせてもらった。

あらためて自分の半生を振り返ったとき、強く感じるのは、人はすべてを奪われても、心に抱く理想だけは奪われることはない、ということだ。

一人でも多くの人に、私の理想、私の生き様が伝わればと願っている。

朝堂院大覚

目次

朝堂院大覚の生き様

～ユーラシア帝国の実現を願った男～

序章　コロナ事変と世界統一政府の樹立

第1章

第三世界の結集を目指して　〜70〜80年代〜

第2章　新しい世界秩序のための提言

終章　託す

序章

コロナ事変と世界統一政府の樹立

コロナ事変の黒幕は誰か？

２０２０年、「世界同時多発新型ウィルス事変」とも言うべき状況が起こり、世界中の国々が未曽有の混乱に陥っている。

このコロナ事変は、過去２回の世界大戦に匹敵するほどの地球規模の非常事態であり、人類存亡の分岐点となっていると言っても過言ではない。

新型コロナウィルスの感染拡大によって、国内外でどのような出来事が起こっているかについては、連日メディアで報じられているため、ここで私が述べる必要もないだろう。だが、そもそも、なぜコロナウィルスが世界中に拡大し、１１０万人を超える（20年10月下旬時点）膨大な死者を出すことになったのか、その真の背景について正しく理解している人は、日本にはほとんどいないし、テレビや新聞などの大手メディアも報道していない。

ウィルスの発生源はコウモリであり、野生動物を経由して、人間に感染していったとする「自然発生説」の一方で、最初の感染拡大地である中国の武漢にウィルス研究所があることから、研究所の実験室で人工的に作られたウィルスが誤って流出したとする「武漢研究所発源説」を主張している人もいる。

しかし、私はそのどちらも違うと考えている。

コロナウィルスが、人工的に作られたものであることは間違いない。なぜならば、コロナウィルスの遺伝子には、HIVとエボラ出血熱の遺伝子が合成されているからだ。コロナによる重度の肺炎患者の治療に、エボラ出血熱の治療薬「レムデシビル」が効果を発揮したのもそのためである。

ただし、ウィルスを作ったのは、中国の武漢研究所ではない。では、誰が作ったのか。私が、真の黒幕だと睨んでいるのが、マイクロソフト創業者のビル・ゲイツが創設した「ビル＆メリンダ・ゲイツ財団」と、ハーバード大学化学・化学生物学部のチャールズ・リーバー学部長、アメリカのコロナ対策の中心を担う国立アレルギー感染症研究所のアンソニー・ファウチ所長である。彼らがＷＨＯやＣＤＣ（アメリカ疾病予防管理センター）、大手製薬会社と結託し、コロナウィルスを生み出し、武漢で最初のパンデミックを引き起こし、世界中へと感染を広げたというのが、「世界同時多発新型ウィルス事変」の真のストーリーなのだ。

彼らの狙いは、ひとつにはウィルス感染を拡大させたうえで、その後に自分たちで開発したワクチンを世界中に売って金儲けをしようということがある。まさに自作自演。それは、戦争をマッチメイクして、当事国に武器や兵器を売ることで莫大な金を儲けてきた欧米の軍産複合体のビジネスモデルと同じ構造だ。

さらに、今回のコロナ事変に関しては、もうひとつ別の、もっと大きな目論見が隠されていると、私は見ている。

なぜ、特定の国や地域だけではなく、全世界にウィルスを蔓延させたのか。なぜ、国連の機関であるWHOを使って、ウィルスの感染拡大防止という大義名分のもと、世界各国の経済活動を止めさせたのか。そうした目に見える出来事の裏側には、誰の、どんな意思や思惑があるのか――。

私が出した結論は、このコロナ事変は、これまで世界を裏で操ってきたニューコートたちの世界支配計画の最終段階ではないか、ということだ。

ニューコートとは、ロンドン・ロスチャイルド家の別名で、同家の初代ネイサン・メイアー・ロスチャイルドが1811年に設立した投資銀行「N・M・ロスチャイルド&サンズ」の本社が200年以上にわたってロンドンのシティ地区のニューコートに置かれていることから、そう呼ばれている。

ロスチャイルド家と18世紀後半以降の世界の歴史のかかわりについて書き出すと一冊の本が書けてしまうため、ここでは細かい説明は省くが、1776年に創設された歴史的秘密結社「イルミナティ」も、近年アメリカでその名をよく聞くようになった「ディープステート」も、その起源やルーツをさかのぼっていくとロスチャイルド家につながる。また、アメリカの名門財閥であり、石油業、軍事産業、金融業などさまざまな企業を傘下に収める「ロックフェラー家」も、スタンダード・オイル社を創業した初代ジョン・ロックフェラーの時代に、ロスチャイルド家に近いジェイコブ・シフが頭取を務めるクーン・ローブ商会から資金援助をしてもらっており、歴史的に非常に深い関係を持っている。つまり、「イルミナティ」「ディープステート」「ロックフェラー」とそれぞれ名前は違っても、それらはすべて「ロスチャイルド＝ニューコート」だと言えるのだ。

先述したゲイツ財団、WHO、チャールズ・リーバー、アンソニー・ファウチがコロナ事変の実動部隊だとすれば、彼らを裏でコントロールしているのがニューコート勢力である。では、ニューコートたちは、世界同時多発コロナ事変を起こすことで、いったい何を目論んでいるのか。

その答えが、世界統一政府による世界支配の実現、なのである。

ニューコートの世界支配計画とは？

今回のコロナ事変を見るとき、重要なポイントはＷＨＯ、および各国の政府機関などに入り込んだＷＨＯのエージェントともいえる医療や感染症、公衆衛生の専門家たちによって、各国の経済活動が規制もしくは自粛要請されたことだ。

日本の新型コロナウィルス感染症対策専門家会議の副座長を務めた尾身茂も、その経歴を見るとＷＨＯ西太平洋地域事務局事務局長を務めるなど、ＷＨＯとの関係は深い。

全世界での経済活動の規制や自粛要請は、ひとつには全世界の人々をおとなしく従わせるための訓練、すなわち全人類奴隷化に向けた訓練の第一歩、という目的がある。ウィルス感染の恐怖が世界中に広まり、ほとんどの国で国民が政府（つまり、その背後にいるＷＨＯ）の指示におとなしく従っている現状を見れば、まさにニューコートの思惑どおりに達成されたと言っていいだろう。

また、経済活動の規制や自粛によって、これから世界中で経済パニックが起こるはずだ。その規模は、08年のリーマンショックや1930年代の世界恐慌とは比べものにならないくらいの大規模なものになる。そのときにニューコート勢力が行うのが、中央銀行管理体制のもとでの「ユニバーサルベーシックインカム（UBI）」「世界共通のデジタル通貨」「マイナンバー」の導入である。

アメリカ国内の連邦準備銀行を統括するFRB（連邦準備制度理事会）も、ユーロ通貨圏の統一的な金融政策を担っているECB（欧州中央銀行）も、我が国の日本銀行も、各国の中央銀行のコントロールを行っているのは、実はその国の政府ではなく、世界の富の大部分を握るニューコートだということは、これまで私が主宰するインターネット番組「JRPテレビジョン」などを通じて、私が繰り返し訴えてきたことだ。

たとえば、日本の通貨である日本銀行券の発行権を持つ日銀は、本来であれば国立の組織であるべきなのだが、なぜか民間によって設立される認可法人となっており、しかもジャスダックに上場している。また、アメリカにおいても、FRB（連邦準備制度理事会）は政府機関だが、その傘下の各連邦準備銀行は株式を発行する法人である。そうした仕組みを通じて、各国の中央銀行をコントロールしているのがニューコートであり、その体制に対して、私は「中央銀行管理体制」と呼んでいる。

今回のコロナ事変を受け、国民の最低限の生活を保障するためにユニバーサルベーシックインカム導入の検討はじめた国もすでに出てきている。また、コロナウイルスの感染拡大に先立って、20年1月には、中央銀行によるデジタル通貨CBDC（Central Bank Digital Currency）の発行を視野に、ECB、日本銀行、イングランド銀行、リクスバンク（スウェーデン中央銀行）、スイス国民銀行、カナダ銀行の6つの中銀と国際決済銀行（BIS）が参加する共同研究グループが新設された。中国ではデジタル人民元の実証実験が始まっている。BISによる調査では、世界中のほとんどの国の中央銀行でCBDCに関する取り組みが行われており、なかにはパイロットプロジェクトをすでに進展させている国もある。

デジタル通貨であれば、誰がいつ保有して、どのように使っているか、といった情報も管理できる。ユニバーサルベーシックインカムによって、マイナンバーで管理された全世界の人々にデジタル通貨を流通させれば、まさに世界経済の一元管理が可能になるわけだ。

コロナ事変によって、これから未曽有の世界大恐慌が起こるだろう。それによって、世界のほとんどの国の経済は間違いなく崩壊するはず。第二次世界大戦以降、世界一の経済大国として経済覇権を握ってきたアメリカも終わりだ。

そうした情勢のなか、立ち上がってくるのが、ニューコート勢力による世界統一政府だ。

彼らの狙いは、自分たちの永遠の繁栄と、自分たちを除いたそのほかの全人類の奴隷化である。これまでは世界各国の政府や企業、政財界の要人を裏で操りながら、右の目的の実現に向けて着々とことを進めてきたが、今回のコロナ事変を通じて世界支配の最終段階に入ろうとしているのではないかと、私は見ている。

ニューコートの世界統一政府が、この地球上にこれからどんな社会を作っていくのか、現時点ではまだ見えてこない。ただ、本書のなかで詳しく述べているように、昨今の地球環境の悪化は、ニューコート勢力も含めた人類全体の存亡の危機にまで発展している。そうした現実に直面し、ニューコートたちも自分たちが生き残るために、自分たちの生存や繁栄に無駄なもの——それは核兵器かもしれないし、地球温暖化の原因となる化石燃料の大量消費かもしれないし、大量生産・大量廃棄を生む経済システムかもしれないし、増え続ける世界人口かもしれない——はことごとく排除、廃止していくはずだ。新しい世界秩序の構築がこれから始まっていくことは間違いない。

コロナ後の世界では、ニューコートの世界統一政府とどのように付き合っていくかが、重要な戦略となる。WHOの言いなりになって自国の経済を完全に潰してしまったら、彼らの支配下に入り、奴隷として生きるしか道はなくなる。世界政府と対等、あるいは対等とまではいかなくても奴隷的身分に陥らずに付き合っていくには、何としてでも正常な経済活動を持続させ、個々の生活を維持していかなければならない。

最初の感染拡大地となった中国では、いち早く経済活動を再開している。ロシアも、感染者は増えてはいるが、死者数は抑えられている。プーチンがいるかぎり、コロナ危機も上手く乗り切っていくだろう。一方、アメリカは、感染者・死者数ともに増え続けて、人種差別と警察暴力に抗議するデモや、デモに乗じた暴動などが各地で起こり、極めて不安定な政情になっている。コロナ事変への対応を見ても、やはりこれからの時代の流れはユーラシアにあることは明らかだ。

日本は、政府の失策によって、現状では厳しい状況となっている。ただ、ウィルスによる死者数自体は、アメリカや欧州諸国に比べて圧倒的に少ないため、今後の経済政策次第で可能性はまだある。

新たな国際秩序の中で、ニューコートの世界政府とどう付き合い、どう生き残るか。それがコロナ事変後の世界を生き抜くための課題である。

半世紀近く前、私も「世界統一」を構想していた

私は、「ＪＲＰテレビジョン」の中で、世界統一政府の樹立を成し遂げたニューコート勢力に対して〝称賛〟の言葉を送った。

それは、私の長年の夢でもあった全世界を統べる政治機構を、コロナウイルスによって、わずかなコストと期間で実現させてしまったからだ。ゲイツ財団をはじめとするニューコート勢力の発想と行動力は、見事というほかない。

世界をひとつに統一する政治機構の設立は、私自身の政治目標でもある。40年以上前の１９７０年代から、ユーラシアアライアンス構想を掲げて、世界各国を飛び回り、国内外の指導者たちと渡りあってきたのも、「世界統一機構」という私の夢を実現させるためであった。

ただ、ここではっきりとさせておきたいのは、現在の世界に確立されつつある「ニューコートによる世界統一政府」と、私が半世紀前から思い描いてきた「世界統一機構」は、世界統一というコンセプトは共通するが、その内実はまったく異なっているということだ。

ニューコートによる世界統一政府の目的は、彼ら自身の永遠の繁栄のためである。

今後、彼らはコロナウィルスに対するワクチンを開発したり、地球環境の保全のために大量生産・大量消費・大量廃棄の経済活動を抑制して、次世代エネルギーの開発に取り組んだりするかもしれない。それらは一見、地球環境のため、全人類の未来のための行為に見えなくもないが、真実は違う。彼らが目指しているのは、自分たちの生存や繁栄、自分たちの金儲けである。彼らはこれまでの歴史を通じて、自分たちの利益のために戦争を起こし、世界の国々に巨額の資金を提供したり、兵器を売ってきた。資本主義市場経済を世界のスタンダードとして、大量生産・大量消費・大量廃棄の経済システムによって地球環境を破壊してきたのも彼らである。同じように、自分たちの利益、自分たちの生存や繁栄につながるならば、彼らは感染症のパンデミックを起こすし、それに対するワクチンも開発する。どれだけ自殺者や失業者、路頭に迷う人々が溢れようが、経済活動も力づくで抑制させるのだ。

彼らにとって、自分たち以外の人類は奴隷でしかなく、実際、「中央銀行管理体制」などの世界中の人々を支配してコントロールする仕組みを、長い年月をかけて作り上げてきた。

かたや、本書のなかで詳しく述べるが、私が思い描いてきた「世界統一機構」の目的は、一部の特権階級の生存や繁栄ではなく、全人類の共存共栄であり、そのための世界憲法の制定、新たな経済システムの確立、地球環境の保全である。いわゆる「先進国」と呼ばれるアメリカやヨーロッパの西側諸国ではなく、アジア、アフリカ、中東、ラテンアメリカなどの第三世界の指導者たちとの関係に特に力を入れてきたのも、ニューコートたちがマッチマイクした戦争や、先進国主導のグローバル経済によって虐げられ、犠牲になっていた人々の力を結集し、真に世界平和や人類の発展に寄与する世界組織を、日本が中心となって作りたかったからだ。世界各地で戦争をマッチメイクしては、自分たちの金儲けのために、武器を売り、人間同士の殺し合いをさせる勢力とは一線を画し、彼らを打倒できるような組織を目指していた。

そんな壮大な夢を実現させるため、私は70年代から90年代前半にかけて、国内外での経済活動や政治活動に情熱を燃やしていた。

経済人としては、23歳から経営に参画しているナミレイ(主な業務内容は、船舶用の冷蔵・冷凍機と空調機器の製作・販売)をはじめ、数多くの企業の経営にたずさわっていた。その会社経営による収入と、そのほか株や土地の売買によって手に入れた収益を合わせて、常時何百億円もの金が手元にあった。

その莫大な金を資金として行っていたのが、政治活動だ。国内では、内閣官房長官、総務庁長官、法務大臣を歴任した後藤田正晴をはじめ、私がこれぞと思う質実剛健な政治家に資金援助をしていた。海外では、ＰＬＯ議長のアラファト、ニカラグアのダニエル・オルテガ、ナミビアのヌジョマ、フィリピンのマルコス、タイのクリアンサック、リビアのカダフィなどの活動を支援してきた。

30〜40代の私は、こうした経済および政治活動のために、世界各地に設けた拠点を飛び回るような生活を送っていた。

しかし、１９９５年にオウム真理教黒幕疑惑（74ページ参照）に巻き込まれて、会社も資産も人脈も失い、外国に行くこともできなくなってしまった。世界統一機構の構想も、全人類の共存共栄の夢も、このオウム真理教黒幕疑惑によって途絶えてしまったのだ。

本名である松浦良右という名を捨てて、朝堂院大覚を名乗ることにしたのも、オウム疑惑がきっかけだった。私自身が望んだことではないとはいえ、松浦良右の名はオウム真理教と深く結びつきすぎていたからだ。

朝堂院大覚となってからも、私のもとにはさまざまな相談ごとが持ちこまれた。困っている人を見ると放っておけない性質の私は、その都度、彼らを助けてきた。六本木のＴＳＫ・ＣＣＣターミナルビルの権利を取りまとめたこと、山口組六代目組長・司忍が銃砲刀剣類所持等取締法違反容疑で逮捕・起訴されたときに私の人脈から弁護士をつけてやったこと、小池百合子の父親やボクシングの亀田親子を助けたこと、修験道の本山・金峯山寺の跡目争いをまとめたことなどは、これまでの著書に書いてあるので、そちらを読んでほしい。

そうした話をすると、「あなたにはまだ力がある」という人もいる。しかし、私としては、まったくそうは思えない。自分のことは自分がいちばんよくわかっている。どれだけ力を尽くして人助けをしようが、人的にも資金的にもかつての自分の足元にも及ばない。世界の国々のリーダーたちを支援し、対等に渡り合っていたころの自分とは雲泥の差であった。

私にとって世界統一機構の実現は、遠い夢となってしまったのだ。

本書は、私の「遺言」である

20年で私は80歳となる。何もかもを失い、人生が急変したあの95年から、もう四半世紀が経とうとしている。

この間も私は世界や日本の情勢を観察しつづけてきた。明らかなのは、かつて私が活発に活動していた70～80年代よりも、さらに事態は混迷し、悪化しているということだ。

私が今もっとも危惧しているのは、やはり地球環境、気候変動の問題である。

近年世界各地で異常気象による甚大な被害が起こっている。

05年には、アメリカに超大型ハリケーン「カトリーナ」が上陸し、ルイジアナ州やミシシッピ州などで1800人以上が死亡、約120万人が避難するというアメリカ史上最大級の自然災害が発生した。また、14年のはじめには猛烈な寒波が南下し、各地で史上最低気温を記録。一部地域ではマイナス40度近くという極地並みの寒さとなり、大勢の死者を出した。17年には、またもや大型ハリケーン「ハーヴェイ」が今度はテキサス州を襲い、カトリーナの

1610億ドル（約17兆5000億円）という被害額に次ぐ、1250億ドル（約13兆円）という甚大な被害をもたらしている。

イギリスでは14年1月に248年ぶりの降雨量を記録して、川が氾濫。これにマイナス気温の寒波が加わり、大雨と洪水と寒さで多くの人が亡くなり、避難生活を余儀なくされた。同じ頃、フランスでも歴史的な大洪水が起こって、一部の地域が水浸しになった。

インドでは、例年モンスーンの時期に大雨が降っているが、18年に南西部のケララ州で「過去100年で最悪」の大洪水が発生し、400人以上が死亡、100万人以上が避難するという事態に。翌19年にもインド南西部で洪水が発生して、200人以上が亡くなっている。

日本でも、18年に「平成最悪の水害」と呼ばれた西日本豪雨が発生し、岡山や広島を中心に200人以上の死者を出している。

こうした異常気象に関する事例は枚挙にいとまがない。

さまざまな災害を引き起こす環境変化に対して、川が氾濫しないように堤防を建設したり、いざというときに備えてライフラインや救助体制の整備をしたりすることで、一応の安全は確保できるかもしれない。しかし、それは場当たり的な対処でしかなく、根本解決にはならない。

今やらなければならないことは、そうした対処療法ではなく、根本治療であると私は考えている。なぜならば、根本治療をしない限りは地球環境の悪化はますます進行し、近い将来われわれ人類はこの地球上で生きることができなくなる危険性があるからだ。

環境問題はいまや人類の存亡と直結する重大な問題として、われわれの目の前に横たわっている。

では、地球環境を破壊している主要な原因は何かといえば、それは世界中を覆う「大量生産・大量消費・大量廃棄の経済システム」であり、その経済を支えている「化石燃料の過剰消費」しかないと、私は考えている。化石燃料とは、石油、石炭、天然ガスである。個人的には、今すぐにでも化石燃料の使用制限やガソリン車の禁止などの政策を採り、その一方で政治主導で次世代エネルギーの開発に取り組まなければならないと考えている。化石燃料の使用制限などは過激に聞こえるかもしれないが、それぐらい抜本的な変革を行わなければ、地球環境を改善することは決してできないだろう。

つまり、地球環境の問題とは、経済の問題でもあり、政治の問題でもあるわけだ。そうした地球規模の問題を解決するには、個々の国々で個別に取り組んでいるだけでは不可能である。かつて私が構想したように、全世界を統一する政治機構を樹立し、共通の法律である世界憲法に基づいて、すべての意思決定を行っていかなければならない。

しかし今の世界には、私が見るかぎり、そうした事態に本気で立ち向かおうとする人材はいない。大部分の政治家は、哲学も信念も世界観もなく、利権獲得による金儲けや自分の保身のことばかりを考えている。経済人の多くも、自社の利益を追求するばかりで、経済活動によって環境を破壊しようが、従業員が苦しい思いをしようが関係はない。

現状を何とかしなければという信念を持っている人ももちろんゼロではない。しかし、そうした人は圧倒的な少数派であり、彼らの声は多数派にかき消されるか、押し潰されてしまっている。

利己的な欲望を満たすため、目先の利益や満足や効率を最優先して、人類の生存にとってもっとも重要な地球環境の問題を見て見ぬふり、気付かないふりをし続ける。地球環境の破壊というグローバルな損失を犠牲にしてまで、国の、企業の、個人の成長や繁栄を追い求める。

そうした態度の先に何が待っているのかは明らかである。そう、人類の滅亡である。

滅亡へ向かってひた走るこの世界を目の前にして、黙って見過ごすのは、私の生き様に反している。老い先短い人生であるが、命あるかぎり、最後の最後まで戦わなければならない。

私はそう決意して、再び動くことにした。

今の自分には、金もなければ、組織もない。かつてのように政情不安の国に乗りこんだり、世界中を縦横無尽に飛び回ったりするだけの若さも体力もない。しかし、これまで歩んできた自分の人生に対する自負と、その経験から学んだ哲学、知恵はある。また、世界を変えるためのアイデアは、私の頭の中に無尽蔵にある。それらを世の中の人々に伝えることぐらいはできるのではないか。そして、それをすることが今の自分にとっての戦いではないのか。

かつて私が取り組んだ、さまざまな計画。

世界の現状を見たうえで、今まさにやるべきだと考えている計画。

過去の計画を再始動させたり、新しい計画を具体的に実行に移すことは、今の私にはできない。今の私にできることは、この世界に私の生き様、私の信念や哲学を残すことだと思っている。本書はそのために書いた。いうなれば、遺言みたいなものだ。

願わくば、本書を読んだ誰かが、私のアイデアと志を受け継ぎ、世界の危機を救うために今すぐにでも動き出してほしい。

第1章

第三世界の結集を目指して

～70～80年代～

現代の危機的状況は、すでに40年前から警鐘が鳴らされていた

序章でも述べたが、われわれ人類にとって、今もっとも重要な課題、すぐにでも解決に向けて取り組まなければならない課題は、「環境問題」である。

地球環境の問題は、そこで暮らす人々、つまり人類全体の危機であり、本来であれば解決のための取り組みは何よりも優先しなければならないはずだ。

しかし現実には、ほとんどの人が目先の利益や欲望に目がくらみ、環境問題への危機感を鈍らせて、問題解決に向けた真剣な行動を起こせないでいる。そして、そうしている間にも環境破壊はじわじわと進行して、われわれ人類はそうと気づかないまま、生存が脅かされて、破滅に向かって歩んでいる。

環境異常によって、人類が相当の犠牲を払わなければならない時代は、もう目の前に来ている。いや、世界の現状を見れば、すでに来ているといえるかもしれない。にもかかわらず、ほとんどの人はこれまでの考え方、生活スタイルを改めようとはしない。

いまだに先進国の人々は大量生産・大量消費・大量廃棄の生活を改めようとはせず、その生活を維持するために膨大な量の化石燃料が消費されている。さらに近年になって急速に経済力をつけてきた中国、インド、ブラジルなどの新興国も、先進国に追いつけ追い越せとばかりに、大量生産・大量消費・大量廃棄の経済、生活スタイルを突き進んでいる。

現在、北京とニューデリーが世界最大の公害都市だといわれている。中国とインドが急激な経済発展を続けているのは周知の通りだが、その負の側面が出ているのだ。そして、この現状は、人類の未来にとって極めて深刻な事態を意味している。

中国の人口は、19年末の統計でおよそ14億5000万人とされている。もちろん世界第1位の数だ。ただし、隠れ人口が3億人ほどいるといわれているので、14・5億＋3億で実態は17～18億人ぐらいが見込まれる。一方、インドはおよそ13億5000万人で、世界第2位。この両国の人口をあわせれば、統計上では約28億人、隠れ人口を含めれば約31億人となる。現在世界の総人口はおよそ77億人といわれているので、その4割近くを中国とインドが占める計算になる。

それだけの人間が、大量生産・大量消費・大量廃棄経済に突き進んでいけば、当然これまで以上の化石燃料が使用され、それに比例して温室効果ガスの排出量も増加する。また、空気汚染や水質汚染などさまざまな公害も発生するだろう。環境への影響規模や悪化のスピードは、これまで先進国が犯してきたレベルを軽々と上回ることは間違いない。なぜなら、世界人口の4割近く、約28億人（約31億人）が関わるのだから。ニカラグアやコスタリカが大量生産・大量消費・大量廃棄経済を行うのとはわけが違うのだ。

仮に環境問題が一国内に止まる問題であるならば、事態はそこまで深刻化しないだろう。中国やインドの人々は大変かもしれないが、その他の国の人々は対岸の火事として傍観することだってできる。

しかし、あえていうまでもないが、環境問題は一国の問題にとどまらない、国際問題である。ある国で発生した環境汚染の影響は、空気や水、さらには農業生産物などを通じて、世界中に広まっていく。また、地球規模での気候変動が発生し、世界中で甚大な災害を引き起こすことになる。温室効果ガスの大量発生によって温暖化が進行して極地の氷が融ければ、海水面が上昇して、全世界の沿岸地域や島しょ部が沈没や洪水の被害を受ける。1000万人超が暮らすインドネシアの首都ジャカルタでは、地下水の過剰な汲み上げによって年間で最大25㎝の地盤沈下が起こっている。そこに世界規模の海面上昇が相まって、首都沈没のリスクが高まり、19年に政府は首都をジャカルタから移転させる意向を表明した。イタリアのヴェネツィアはたびたび高潮による冠水に見舞われているが、19年11月には観測史上2番目、過去50年間では最高の水位上昇を記録して、大きな被害が発生した。近年では偏西風の異常な蛇行が、ある地域には異常低温を、ほかのある地域には異常高温や集中豪雨をもたらすことがわかっている。

人々が今のままの大量生産・大量消費・大量廃棄の経済を続けていけば、事態はさらに悪化することは間違いなく、そしていつかは人類全体の存亡の危機に直結しかねない。

ゆえに私は、化石燃料の段階的な使用規制と、化石燃料に代わる効率的な代替エネルギーの開発を、人類の危急存亡の課題として提唱するようになったのだ。そして、その課題の解決には、環境保護に取り組む団体・組織だけではなく、国際的な規模での経済界、政界の関わりが不可欠である。

このような地球規模での環境問題への警鐘は、今にはじまったことではなく、実は半世紀も前からすでに世界に向けて鳴らされていた。

1972年3月、ワシントンDCの無名の出版社から一冊のペーパーバックが出版された。その本のタイトルは『The Limits to Growth』(日本語版では『成長の限界』)。同書は、ローマ・クラブという名の民間シンクタンクが「現状の勢いのまま経済が成長し、資源が消費され、環境が汚染された場合、はたして人類の生存と地球環境はどうなるのか」という課題についてMIT（マサチューセッツ工科大学）に調査・研究を委嘱して、同大学の研究グループがまとめた報告書である。

ちなみにローマ・クラブとは1970年にスイス法人として設立された組織で、世界各国の科学者、経済学者、政策立案者、教育者、企業経営者などで構成されている。組織の目的は、天然資源の枯渇、貧困、公害による環境破壊、人口増加、軍事技術の進歩による大規模な破壊力の脅威など、人類が直面する危機を緩和、回避するための方法を探り、解決策の実現のために研究、啓蒙活動など行うことにある。ローマ・クラブという名は、1968年にローマで最初の会合を開催したことに由来しているそうだ。

この本がはっきりと述べているのは、このまま（72年当時）人口増加や環境破壊が続けば、資源の枯渇や環境の悪化によって100年以内に人類の成長は限界に達するであろうということだ。そして、破局を回避するには、地球環境の有限性を認識したうえで、成長至上から世界的な均衡へと移行する必要があると訴えている。

こうした提言によって、70年代以降に経済、環境、エネルギー、軍備縮小などに関するさまざまな動きがあったことは事実だ。しかし、大きな流れにおいては今もなお変わっていないことは、現在の世界の状況を見れば明らかである。半世紀前から世界はすでにオーバーユース状態にあり、そして今もなおオーバーユースしたまま走り続けているのだ。

とはいえ、70年代という世界的な急成長の時代にあって、同書の題名にもあるように「成長の限界」について研究・論述し、世界のあり方について疑問を投げかけたことは画期的であったことは間違いない。私自身、当時ローマ・クラブの存在を知り、この本を読んで、書かれている内容について多くの部分で共感したし、実際に自分が行動を起こすにあたって学ばせてもらった面もある。

当時の私は30代前半。理想に燃え、血気盛んで、人生をかけた真剣勝負の舞台として世界に飛び出してまだ間もないころだった。

私はなぜ環境問題に危機感を抱くようになったのか

私がローマ・クラブに共感を覚えたのは、実をいえば私自身も同じような問題意識を以前からずっと持っていたからだ。

23歳のときに浪速冷凍機工業（のちのナミレイ）の経営に取締役営業本部長というポストで参画して以来、私は同社が抱えていた2億3000万円という借金を返済し、さらに会社の事業を拡大することに邁進していた。幸い、日本は高度経済成長期の真っ只中にあり、日本社会全体の成長とともに会社の業績も右肩上がりで上昇していった。

だが、あるときから私の中に、やみくもに成長を求めることや資本主義経済への疑問が湧いてくるようになった。

きっかけは些細なことだった。当時の日本は大量生産・大量消費・大量廃棄のライフスタイルが急速に広がりはじめた時代で、人々は新しい車や家電製品が発売されるたびに次々に買い替えて、古くなったものを廃棄していた。また、すべての商品は、見た目をよく見せるために過剰にパッケージされて、開封後そのパッケージもゴミとなっていた。至近なところでいえば、昔は買い物に行くときは自分の買い物かごや買い物袋を持参することが当たり前だったが、そのころからお店でビニール袋を毎回くれるようになった。そのビニール袋はもちろん使い捨てで、家に帰ればすぐに捨てられることがほとんどだった。

大量生産・大量消費・大量廃棄経済によって、日本人の生活はたしかに豊かになった。しかし、その反面、日々膨大な量の廃棄物が生まれて、それらは燃やされたり、埋められたりして、処理されていた。

地球の資源は有限である。そんなことは少し考えれば、誰でもわかることだ。にもかかわらず、こんな無駄遣い、使い捨てばかりを繰り返していて、果たして地球は大丈夫なのだろうか。いつか資源が枯渇して、人類の成長のみならず、生存そのものが危ぶまれる時が訪れるのではないだろうか。そんな危機感が徐々に芽生えてきたのだ。

また、沖縄のすばらしい自然に出会ったことも、私の意識を変えるきっかけになった。

戦後、沖縄が日本に返還されたのは72年のことだ。私はその前年（71年）に当時まだアメリカの占領下だった沖縄へ行き、不動産事業を起こしていた（沖縄行きと不動産事業立ち上げの詳しい経緯は、前著『怪物フィクサーに学ぶ　人を動かす』に書いているので、そちらを参照してほしい)。

事業を通じて、私は沖縄本島、石垣島、西表島などに合計200万坪の土地を所有する大地主となった。当時の沖縄は、現在のように開発が進んでおらず、いたるところに手つかずの自然が残されていた。特に愛着を持っていたのは西表島だ。

本島だけではなく、ほかの島の状況も見てみようと、はじめて西表島に上陸したのは71年のある日のこと。当初は日帰りの予定だった。しかし、西表島のまるで別世界の楽園のような神秘的な原生林の森に入った途端、「ここはすばらしい場所だ」と一瞬で魅せられてしまい、帰る気が失せてしまった。そこで同行していた部下に「オレはここに残る」といい、島に一軒だけあった民宿に泊まって、西表島の自然の中で暮らすことにした。当時は不動産の仕事が相当に忙しい時期だったが、西表島の自然の魅力には勝てなかった。

結局、2ヵ月ほど滞在しただろうか。その間、海に潜って大きな貝や魚、海藻を獲って食べたり、山に入ってイノシシ猟をしたり、木の実を採ったり、まるで狩猟採集民のような生活を送っていた。西表島では、そうした自然界が与えてくれる恵みだけで十分に生きていくことができたのだ。また、島には水牛がたくさんいたが、どの牛も石垣島で見た牛よりも大きく、肉付きがよかった。きっと水牛たちも西表島の自然が与えてくれる栄養を体いっぱいに取り込んでいたのだろう。

空気も水も清浄で、豊饒な森もある。そして、そうした自然界で暮らす生き物たち（動植物）が人間の命を支えてくれる。西表島で生活をしながら、「こんな生活こそが、生き物としてもっとも自然なのだろう」と、私は体を通して実感することができた。

生物の生存にとって、清らかな水と空気、豊かな土と木々は欠かせない。こんな当たり前のことを西表島の生活を通じて学ぶことができた。翻って、当時の日本の状況を顧みたとき、大量生産・大量消費・大量廃棄経済（と、それを支える化石燃料の過剰消費）が水や空気を汚し、土をやせ衰えさせている現実があった。

資源の浪費や環境汚染……これらの問題は、まさに人類が抱える〝癌〟のようなもので、放っておけばどんどん増殖・拡大して、人類全体を死に至らしめる可能性があった。

そうした癌の根本原因は何かと辿っていったとき、行き着く先はアメリカやヨーロッパの大国が主導する自由主義経済、資本主義経済であることは明らかだった。国家や企業の経済成長、要するに金儲けを最優先して、全人類の共有の財産である地球環境をないがしろにしていたからだ。

人類の危急の課題は、地球環境に悪影響を及ぼす資源の浪費を抑制すること。そして、経済を無制限に膨らませて、どんどんものを作っては捨てていくという、大量生産・大量消費・大量廃棄の経済システムから脱却し、自由主義経済、資本主義経済を抑制すること。しかも、この課題は一国で取り組んでも効果は薄い。地球規模の問題として、国際的な場で解決策を話し合う必要があった。

そのためにはどうすればいいのか。高度経済成長期の日本で私はずっと考えていた。そして、出した結論のひとつが、全世界の国々をひとつに統べる「世界統一機構」を樹立し、「世界憲法」のもとで、地球が抱えたさまざまな課題に取り組むことであった。

序章で述べたように、2020年現在、全世界同時多発コロナウィルス事変によって、世界統一政府が実現しようとしている。コロナ事変および世界統一政府の樹立を主導するニューコート勢力が目論んでいることのひとつは、〝彼らの生存のため〟の地球環境の保全である。それまで彼ら自身が自分たちの繁栄のために利用してきた自由主義経済、資本主義経済というシステムによって地球環境が著しく破壊され、その結果として彼ら自身の生存すら危ぶまれてきた現実を目の当たりにして、ゲイツ財団をはじめとするニューコート勢力が世界政府を作り、世界システムの再構築をしようとしているのだ。地球温暖化への対策や、新たな経済システムの確立など、環境問題の解決への動きも彼らによってこれから本格化するだろう。

地球環境の問題を解決するために世界統一機構（政府）を作る――その点では、半世紀近い時の隔たりはあるものの、奇しくも、私のアイデアとニューコート勢力のアイデアは同じだったわけだ。

第三世界の結集のために世界中を飛び回る

私の中に地球規模の問題意識が芽生えはじめたちょうどそのころ、運命的ともいえる出会いがあり、私は世界を舞台にした政治活動へとシフトしていくことになる。それはソーシャリストインターナショナルや非同盟諸国会議との出会いである。

ソーシャリストインターナショナルとは、社会民主主義や民主社会主義を掲げる中道左派政党の国際組織であり、反・共産主義、反・新自由主義、労働者の権利、富の再分配などの主張を掲げていた。一方、非同盟諸国会議とは、インドの初代首相のネルー、インドネシアのスカルノ大統領、アラブ連合共和国のナセル大統領、ユーゴスラビアのチトー大統領らの呼びかけによって、1961年に設立。第二次大戦後の東西冷戦期において、東西いずれの陣営にも公式には加盟していない諸国による国際組織である。

私がソーシャリストインターナショナルや非同盟諸国会議のことを知り、関係を深めていった背景には、ひとりの水先案内人の存在が大きい。その案内人とは、ドミニカ革命党のペニャ・ゴメスである。彼は当時ソーシャリストインターナショナルのラテンアメリカ委員長を務め、組織全体では副会長の立場にあった政治家で、案内人としては申し分なかった。

彼とはじめて会ったのは、日本社会党（当時）の国際部を通じてだった。

当時から私は、日本の政治家や経済人、裏社会の人間たちと親交を持っており、政治家は特定の党に限定せず、自民党、民社党、社会党などの各党の人間と広く交流していた。社会党関連でいえば、私は乃木坂にあったビルの2階をワンフロア借り切って、そこを社会党関係者に使わせており、石橋雅嗣、江田三郎なんかがしょっちゅう顔を出していた。

ゴメスは、自国での大統領選を戦うためのスポンサー探しに来日。彼のラインは社会党系だったため、社会党の国際部がその窓口となった。私はその社会党国際部の人間から「ドミニカの大統領候補が来ている。ぜひ会ってくれないか」と話をもらい、彼に会うことになったのだ。

乃木坂の事務所で、初めてゴメスに会って話をした。彼はハイチ人の血を引いている黒人政治家で、当時ドミニカで強権政治を行っていた親米派のホアキン・バラゲール大統領に対して反政府運動を起こして投獄されたりして、死ぬような思いをしながらも生き延びてきた経験があるという。なるほど、たしかにそうした真剣勝負の場で命を賭けて戦ってきた者特有の精悍な顔つきをしていた。私はゴメスのことがひと目で気に入り、「よしわかった、オレがお前の面倒を見てやろう」と支援を約束した。

その後、ドミニカ大統領選の支援のために何度もドミニカのゴメスのもとを訪れるようになる。結果としてゴメスは大統領になることはできなかったが、ゴメスは私のことを信頼してくれるようになり、ソーシャリストインターナショナルや非同盟諸国会議の会合に招いてくれて、その会場で各国の政治家たちと私をつなげてくれるようになった。

ソーシャリストインターナショナルでは、ドイツのヴィリー・ブラント、フランスのフランソワ・ミッテラン、スペインのフェリペ・ゴンサレス・マルケス、スウェーデンのイングヴァール・カールソンらと面識を得た。75年にポルトガルのリスボンで行われたソーシャリストインターナショナルの国際会議では、特別講演者として参加していたパレスチナ解放機構（PLO）議長のヤセル・アラファトと意気投合して、その後彼の招きでベイルートに行ったりもした。

のちにニカラグア大統領となり、ニカラグア運河計画の同志となるサンディニスタ民族解放戦線の指導者ダニエル・オルテガも、リビアのカダフィも、フィリピンのマルコスも、ゴメスの紹介がきっかけで交流がはじまった。

普通の人間の感覚では、彼らのような世界的な指導者と対面すれば、会った途端に緊張して、まともに会話なんてできないかもしれない。しかし、私の場合は常に「自分の風上に立つような人間はいない」という自信を持っていたので、彼らを前にしても怯んだり、遠慮したりということがなく、自分の考えや言いたいことをはっきりということができた。私にとっては、彼らは一国を背負う指導者である前に、一人の人間であり、その観点からいえば自分の家族や友人、会社の部下や空手の弟子たちと何ら変わりはなかったのだ。彼らの方もそんな私を面白いと思ってくれたのか、信頼を寄せてくれ、会えばさまざまなことについて助言を求めてくるようになった。

国家戦略なき日本を憂いて

海外の要人たちとの交流の機会が増えてくるにつれて、私の中には「日本の政治をどうにかしなければ」という思いも強くなってきた。もとより「日本の政治家にはまともな奴はほとんどいない」、「どうしようもない奴らばかりだ」とは思っていたが、世界に出るにつけて日本の国家戦略のなさを痛感し、「いくら経済力があったとしても、このままでは日本は世界の中で取り残されてしまう」と危機感を抱くようになったのだ。

国家戦略とは、世界のほかの国々とどう付き合うかという国としての方針であり、ひいては世界においてどんな役割を果たすかという国家の信念にも通じる、非常に重要なものである。日本に国家戦略がないのは、やはり第二次大戦の敗戦国であり、その後アメリカの属国としての立場にずっと甘んじてきたことが最大の要因だ。何をするにも宗主国であるアメリカの顔色をうかがったり、アメリカの指示通りに動くだけ。真の独立国家としての国家戦略は微塵もなかった。

その典型が、海外の各国におかれた大使館だ。

大使館は、本来、本国の国家戦略の前線基地としての役割を果たさなければならない機関だ。たとえば、本国とその国の外交や経済を円滑に進めるため、キーマンとなる政治家や会社とのコネクションを強化したり、その国の動向に関する重要な情報を収集して本国に伝えたりする。どの会社の株をおさえるべきなのかという、企業買収の一翼を担っていることもある。実際、アメリカや欧州諸国、ソ連の大使館はそうした前線基地としての機能を十分に果たしていた。

では、日本の大使館はどうかといえば、そうした機能はゼロ。

ＰＬＯのアラファトと会ったとき、「日本の外務省の人間と会ったことはあるか?」と聞いたら、彼は「誰にも会ったことはない」という。その答えを聞いて、私は唖然とした。中東地域において政治的にもっとも影響力のあるキーマンのひとりであるアラファトと会ったことがないとは、日本の大使、日本の外務省はいったい何をやっているのだ、と。タイへ行ったときも、親しくしていたクリエンサック首相に「日本の大使は来たか?」と聞いたら、「来ていない」という。また、アメリカやヨーロッパのユダヤ系組織とも交流があったが、彼らも「日本の外務省は何もしない」といっていた。世界の政治や経済に絶大な影響力のあるユダヤ系組織とも、日本の外務省はまともなコネクションを築いていなかったのだ。

在外日本大使館がしていたことといえば、日本の国会議員がその国を訪れるときの旅行会社兼観光ガイドの役割ぐらい。つまり、日本から「来月、首相が行くぞ」、「○○大臣が行くぞ」という指示があると、その国の首脳との会談場所をおさえたり、夜の会食のセッティングをしたり、お土産を集めたりしてせっせと接待する。なぜかといえば、来訪した政治家を満足させて日本に帰すことができれば、予算編成のときに外務省に有利に動いてくれるからだ。つまり、在外日本大使館は、国外にあるにもかかわらず日本国内のこと（＝予算編成）に目が向いた機能しかなく、その国における前線基地としての機能――本国の国家戦略に基づいて、ターゲットを定めて接触を図る、情報収集をする、その国との外交の窓口となる、など――はまったくといっていいほど果たせていないのだ。

私は海外へ行くたびに何かしらの用事があってその国の日本大使館を訪れたが、こちらの求めに応じて積極的に動いてくれることはほとんどなかった。というか、日ごろの活動がまったくできていなかったので、そもそも動くことができなかったのだろう。

それゆえ、国際的な事件が発生したときも、日本大使館は機能しなかった。

１９７７年９月の日本赤軍によるダッカ日航機ハイジャック事件のときには、次のようなことがあった。事件発生後、当時の福田赳夫首相が「一人の生命は地球より重い」という有名な言葉を述べ、超法規的措置として、日本赤軍が求めていた身代金６００万ドル（当時のレートで約16億円）の支払いと、日本で服役または拘留されていた獄中の活動家の引き渡しを決断した。その後、ハイジャック犯５名と釈放された６名は、親東側諸国のアルジェリアに逃亡して、同国の管理下に置かれた。本来であれば、国際的な犯罪者を野放しにしておくべきではなく、在アルジェリアの日本大使館がアルジェリア政府と交渉して、ハイジャック犯と釈放された政治犯の引き渡しを要求することが、法治国家としてのあるべき姿である。しかし、日本大使館は何もしなかった。

そこで私が、衆議院議員の毛利松平と、56年のメルボルンオリンピックのレスリング日本代表であり、当時ゼネラル石油の総会屋担当をしていた大平光洋と策を練り、犯人たちの奪還に動いたのだ。われわれが交渉の相手として選んだのは、当のアルジェリア政府ではなく、アメリカの軍事会社「アメリカントレード＆ファイナンス」。アルジェリアの警察および秘密警察はＣＩＡ傘下の同社によって訓練されており、アメリカントレード＆ファイナンス経由であれば、言うことを聞くだろうと考えたのだ。

ワシントンに乗り込んだ私たちは、１週間ほど現地のホテルに滞在して、同社と交渉を重ねた。その結果、10億円を支払うことで、アメリカントレード&ファイナンスがアルジェリア政府に対して、日本赤軍のハイジャック犯と釈放犯11名を日本政府に引き渡すように話をつけてくれるとの言質をとった。

早速、私はその話を、福田首相と園田直内閣官房長官のもとに持っていった。10億円を支払えば、日本政府は国際的な政治犯を解放した汚名をすすぐことができる。ゆえに、当然金を出すものと、私は信じて疑わなかった。しかし、彼らはアメリカントレード&ファイナンスが提示した条件を拒否したのだ。私は激怒し、「金を出さないとは、どういうつもりだ!」と園田官房長官を怒鳴りあげたのだが、政府の決定は変わらなかった。

結局、日本赤軍の活動家たちはそのまま野放しにされて、後年彼らのうちの数名は世界各地で逮捕されたものの、数名は今も国際指名手配されている。当時の日本政府および日本大使館がまともな考えを持って動いていれば、とっくに解決していた事件である。まさに日本政府および日本大使館の無策、無能ぶりを如実に物語っていると言えるだろう。

同じ年に、フィリピンのマルコス大統領が、政敵であるベニグノ・アキノに死刑判決を下したときもそうだ。福田赳夫首相がアキノの助命嘆願の親書をマルコスに送ったが、その助命嘆願を実現させるために在フィリピン大使館は実質的に何もできなかった。そこでマルコスと親しかった私が間に入り、親書を渡す席でも「アキノの死刑をやめさせろ」と私が説き伏せた。その結果、80年にアキノはアメリカへと国外追放となり、死刑を免れることができたのだ。

ほかにも、日本の国際空港を見ても、日本の国家戦略のお粗末さが露呈している。

空港は、日本と世界をつなぐ窓口である。その観点から建設の場所を決め、施設の構造を決めなければならない。

日本は、60年代はじめに羽田空港（正式名称は東京国際空港）に代わる新しい国際空港建設に動きだし、１９７８年に新しい日本の窓口として千葉県成田市に成田空港（正式名称は新東京国際空港。現在は成田国際空港）を開港した。

日本から海外に出る人、海外から日本を訪れる多くの外国人にとって、成田空港が日本の玄関口となる。しかし、一度でも成田空港を利用したことがある人ならば、誰もが似たような感想を抱くのではないだろうか。「東京都心から遠すぎる」と。私自身、何度も成田空港を利用しているが、毎回「なぜもっと東京都心の近くに空港を作らなかったのか」と疑問に思ったものだ。それでよくよく調べてみると、成田市に新しい国際空港を建設した背後には、運輸大臣などを歴任した自民党の橋本登美三郎の土木建設利権があることがわかった。つまり、政治家の金儲けのために、国家戦略の重要な拠点となる空港の建設場所が決められていたのだ。

明確な国家戦略を持ち、世界で確固たる立場を築いている国は、空港建設ひとつとっても日本とはまったく違う。かつてシンガポールへ行ったとき、飛行機が空港に着陸して入国審査窓口を出るまでにかかった時間はおよそ10分。そこから車に乗って、ホテルまで20分。着陸して30分ほどでホテルに入ることができた。かたや日本はどうか。成田空港に着いて、入国手続きや荷物の受け取りなどに40分～1時間。そこから東京都心のホテルまで早くても1時間半ほど。着陸してからホテルまで2時間から2時間半は普通にかかってしまう。何も知らない外国人がはじめて日本に来て、ほかの国と同じ感覚でうっかりタクシーに乗ってしまえば、東京都心まで2～3万円ぐらい払わされることになる。空港から東京のホテルに行くだけで、時間もかかるし、金もかかる。その外国人は当然、「なんだ、この国は!?」と不満に思うだろう。

国家戦略の一部として空港が機能しているシンガポールには、人も金も集まり、栄える。日本もたしかにこれまでは栄えてきたが、アジアのほかの国で次々と便利な国際空港が建設されるにつれて、アジアのハブ空港としての立場を徐々に失っていった。国家戦略がないゆえの当然の結果である。

日本は一事が万事こうなのだ。

日本が真の独立国家となるには、国家戦略に基づく情報機関や経済戦略機関を持たなければならないし、国の安全を守るための軍隊も持たなければならない。しかし、日本にはそうした機関そのものがないか、あったとしても実に中途半端なものばかり。そこに日本の政治や政治家たちの貧弱さがあると私は感じていた。

日本の政治を改革し、明確な国家戦略を持って国家運営に当たらなければ、日本が世界の国々と対等に渡り合うことはできない。それに何より、私が目指していた、日本が中心となって反資本主義経済、反自由主義経済の世界的な体制を築き、全人類がこの地球上で持続可能な発展を続けられる新しい世界の実現も叶わない。

「金儲けのことしか考えていない、無能な町人政治家たちにはもはや任せておけない」

そう考えた私は本気になって日本の変革に向けて動き出すことにした。

自らの資金と人脈を駆使して、さまざまな会議や連盟を独自に運営

70年代の終わりには、核兵器を持たない国々が同盟して、核を持つ国に対抗すべく、「非核諸国同盟会議」を結成。世界の趨勢を核兵器を保有する一部の大国に握られていては、真の国際平和は訪れない。それゆえ、非核国を団結させて国際的に発言力・影響力のある組織として、日本がその代表となることを目指したのだ。全世界の政府や大学に5万通あまりの手紙を送り、協力を要請したところ、絶大なる支持を集めて、多くの政治家や大学教授などがメンバーになってくれた。

1978年にはスパイ防止法制定のための弁護士団体「法曹政治連盟」を設立。井本台吉検事総長、横井大三最高裁判事、佐藤立夫早稲田大学名誉教授（憲法裁判所創設委員会会長）を筆頭に、1000人ぐらいの弁護士がメンバーとして名を連ねた。

中学時代から空手をやっていた関係で、日本の空手の流派を集めて「空手道本庁宗家家元会議」も開催した。同会議の目的は、空手の国際化とオリンピック種目にすること。武道関

係ではほかに、日本の武道を束ねるべく「武道総本庁」を設立した。

また、80年代には、外務省に代わる戦略情報機関を作って、各国との安全保障や政治、経済の問題に取り組もうと、「安全保障協議会」を設立して顧問となった。この安全保障協議会は、日米、日ソ、日中、日韓、日朝……と各国ごとに設置。外務省や防衛庁の関係者も大勢来ており、週何回かのカンファレンスを実施していた。

この協議会の関係でアメリカ、ソ連、中国、韓国へも頻繁に行った。海外に行くときには、その国の要人と会うことになるので、外務省安全保障政策室の森本敏、在米日本大使館首席防衛駐在官の志方俊之などを連れていった。逆にアメリカの太平洋司令官などの大将中将クラスの要人を集めて、ハワイで1週間会合をしたこともある。資源エネルギー庁長官や通商産業審議官を歴任した増田実の弟のルートを通じて、CIA長官のウィリアム・ケーシーとも知り合いになり、彼が日本に来たときは、私がセッティングをして日本の政治家と密会させたこともある。

90年ごろには赤坂で「ディプロマティック・クラブ」という社交場を運営した。このクラブは、名前の通り、日本に駐在している外交官向けのクラブで、70~100人収容可能、飲食費は全額無料とした。訪れるのは、付き合いの深かった南米、アジア、アフリカの発展途上国の大使館員で、なかでもアフリカ諸国の職員が多く出入りしていた。

このクラブのモデルは、明治時代の鹿鳴館にある。当時、鹿鳴館は外国からの賓客や日本に駐在する外交官を接待する社交場として活用されていた。訪れる外国人にはあらゆる贅沢が与えられたが、その代わりに日本はさまざまな情報を得たり、裏工作をして、国家戦略につなげていた。同じように、ディプロマティック・クラブでも大使館員を無料で招待する代わりに、彼らからさまざまな情報を得ていたのだ。

また、このクラブには黒人が多く、彼らがいかに西側諸国（＝白人国家）に虐げられているかを聞くにつけ、何とかしなければと「世界黒人会議（ワールド・ブラック・コングレス）」という団体も主宰することになった。この団体の「黒人」とは、当初は文字通りの黒人を意図してつけたが、やがてアジア人、アラブ人、アフリカ人、ネイティブアメリカンなどの有色人種全体を含むように変わっていった。

20世紀の歴史を振り返ったとき、第二次大戦以降の大きな戦争――50年代の朝鮮戦争、60〜70年代のベトナム戦争、40〜70年代の4次にわたる中東戦争、80年代のイラン・イラク戦争、90年代の湾岸戦争――は、すべてアジアや中東を舞台に繰り広げられてきた。ほかにも東欧、中南米、アフリカなどの紛争を挙げればキリがない。問題なのは、それらの戦争・紛争が、戦争当事国にとっては何のメリットにもなっておらず、得をしているのはアメリカや欧米（＝白人国家）の軍産複合体である点だ。彼ら軍産複合体は、戦争をするための兵器をどんどん売ることで、莫大な金を儲けてきた。一方、戦争の現場となったアジアや中東の国々では、土地が荒れ果てて、そこに生きる人々は血を流してきた。私にとって、その状況は決して許せるものではなかった。それゆえ、世界黒人会議で世界中の有色人種を団結させ、白人国家に対抗していこうと考えたのだ。

「国際宇宙法学会」という研究組織も設立した。冷戦期に入ると米ソによる宇宙開発競争が激化して、人工衛星や有人ロケットの打ち上げ、無人惑星の探査などが繰り広げられた。宇宙という未知の空間が開発されること自体は、人類にとって悪いことではない。問題は、そうしたことが米ソに独占されていたことだ。両大国に宇宙を占有する権利があるのか。地球上の海洋に国際海洋法があるように、これから人類が広がっていく可能性がある宇宙という空間にも各国の権利を定めた法律、つまり国際宇宙法が必要なのではないか。こうした考えから、この国際宇宙法学会の設立に動き出したのだ。

私としては、宇宙に打ち上げた人工衛星は世界中のすべての国で共有すべきだと考えていた。また、人工衛星の軍事利用を一切禁止することや、老朽化した衛星を国際社会で責任を持って回収することなどを世界共通のルールとして定めるべきだと考えていた。宇宙においては、先進国も発展途上国もなく、すべての国が平等な権利を有することが基本理念としてあった。

70～90年半ばにかけて、私はこうした会議や研究会、政治団体を50～60ぐらいは活動させていた。拠点となった神田の私の事務所には、年がら年中、政治家や官僚、学者や企業経営者、各国の要人が出入りしていた。ときにはホテルニューオータニの大広間を貸し切って、パーティやミーティングをやったこともある。活動資金は、私が土地や株の売買で稼いだ金をあてて、毎月5000万円ぐらいは使っていたはずだ。

一橋大学の中川學経済学部長や、国際法や地政学が専門だった東京理科大学の曽村保信、ロシア文学者でもあった上智大学の内村剛介など、私の活動の同志、支援者になってくれた人は大勢いる。現在、早稲田大学教授で政治学者としてメディアで活躍する中林美恵子や、衆議院議員の松原仁、朝鮮半島の専門家である拓殖大学の武貞秀士は、当時はまだ20代の若者であったが、私が主催するさまざまな会議に出席をしていた。

だが、私が国内外から人を集め、頻繁に会議や研究会をやっていることに対して、「松浦という人物は何か企んでいるに違いない」、「北朝鮮のスパイかもしれない」などと誹謗中傷する輩もいた。たとえば、国際政治学者である筑波大学の中川八洋や、同じく国際政治学者で亜細亜大学の学長を務めた衞藤瀋吉。彼らはもともと私が主宰する会議のメンバーとして来ていたが、やがて意見を異にするようになり、袂を分かつこととなった。外務省安全保障政策室の森本敏も、当初は私の通訳兼秘書のような立場で安全保障協議会の会合についてきていたが、しばらくすると何を思ったのか、「民間の人間があのような安全保障会議を実施するのはおかしい」、「松浦主宰の会合には外国の資金が流れている。だから、あれだけ派手なことができるんだ」、「松浦は危険人物だ」などと噂を流して嫌がらせをしてくるようになった。もちろん、そんな根も葉もない噂話は一切無視したし、その後森本との関係は断ち切ったが、いい迷惑だった。

こうした会議や研究会は、私の利己心や権力欲を満たすためのものではなかったし、外国から何かいわれてしていることでもなかった。ただただ人類の未来の生存のため、世界の平和や地球環境を守るため、日本がこの世界でリーダーシップをとれるために何かできることはないかと思案した結果、「日本政府がやらないのなら、オレがやる!」と立ち上げたものばかりだったのだ。

日本の政治の一体化を目指して

民間の人間として会議や研究会を主宰する一方で、政治家とのつながりも強化していった。どれだけ無能だといっても、現実問題として政府や国会を運営しているのは政治家たちである。彼らをどう動かすかも日本や世界の状況を変えるためには必要だったのだ。

当時の日本の政界や政治家はまったくひどいものだった。

たとえば、昼間の国会では与党野党にわかれて政策や法案を激しく審議しているような姿を見せているが、夜になれば与野党交じり合って、「今日は神楽坂だ」、「明日は新橋だ」と料亭や麻雀クラブで遊び回って調整をしていたのだ。昼間の国会での論争は芝居以外の何ものでもなく、これが「表で対立、裏では協調」といわれた「国対政治」だった。有名なのは、自民党国対委員長の金丸信と日本社会党国対委員長の田邊誠の関係で、金丸は赤坂のお気に入りの芸者の妹芸者を田邊につけて、「われわれは兄弟関係だ」などとほざいていたそうだ。

また、80年代のはじめに、後述するニカラグア運河計画のことを田中角栄に話しに行った際、彼は「そんな外国の建設工事には、日本は国家として関わるべきではない」、「今大事なのは国内の道路だ」といって協力を断ってきた。田中角栄は、74年の首相退陣後も自民党内で多大な影響力を誇っていた男だが、彼の頭には日本国内での道路建設利権のことしかなかったのだ。その返事を聞いて、私は「こいつ（田中角栄）は国際的には使い物にならない人物だ」と判断した。

その後、同じ話を「政界のドン」と呼ばれた金丸信に持っていったときは、彼は当時竹下登と二人でパナマ運河改修工事を受注しようと動いていたため、「日本はパナマをやる」と私のニカラグア運河の話を断ってきた。納得できなかった私が「なぜ五万トンクラスの船しか通行できないパナマ運河の改修に、日本が金を出すのか？」と問い質すと、「出してくれといわれているから、出してやるだけだ」との答え。聞けば、背後には新日鉄会長の永野重雄と、その弟で五洋建設の会長だった永野俊雄がおり、五洋建設の仕事のために金丸が動いて国の金を使おうとしていたのだ。

最終的には私の説得に金丸が折れて、金丸はニカラグア運河への協力を約束してくれたが、日本の政治家たちはそんなお粗末極まる判断——国際感覚もグル－バルな世界観もなければ、国家戦略もない。ただただ利権による金儲けのために政治や税金を利用する——を常に繰り返していたわけだ。

国際的な問題を解決するため、日本が世界でリーダーシップをとっていくには、確固とした国家戦略の下、日本の政治を一体化していかなければならない。そう考えた私は、日本の政治改革にも乗り出すことにした。

私が理想としたのは、金儲けのためではなく、真に国家や国民、世界のことを考えて行動できる人物が集まった政府による政治。現状の政治が利権にまみれた「金権腐敗政治」であり、金儲け最優先の「町人政治」だとすれば、私が目指したのは質実剛健、清廉潔白、公明正大をモットーとする「武家政治」だ。

その手はじめとして考えたのが、比例代表制の実現である。

そもそも金権腐敗政治に陥るのは、政治家個々人の資質の問題もさることながら、選挙制度の問題もあると私は考えていた。選挙区制の選挙で当選するには、どうしても膨大な金が必要となる。そのため政治家は金集めに奔走し、企業などから献金を受けたり、不正に裏金を集めたりすることになる。金を出した企業や個人は、当然その政治家が当選した暁には、見返りを求める。ここに金を巡る癒着構造ができあがってしまうのだ。

しかし、比例代表制ならば、国民は政党に投票し、その得票数によって各政党の議員数が決まるため、個々の政治家と資金提供者（企業）のつながりを断つことができる。また、政党の立候補者名簿に名前をのせる段階で、金権にまみれていない人物、世界観や国家観のしっかりしている人物、質実剛健、清廉潔白な人物を選ぶことができれば、国会や政府もおのずと浄化されるようになる。

比例代表制を実施するには、まずは国会で承認させなければならない。日本は法治国家であり、法治国家において政治改革を行うには、やはり正式な手続きを踏むべきだと考えたからだ。軍事力などを使って強引に体制を変えていくのはクーデターであり、それは私の望むことではなかった。ただ、国会審議の段階で否認されてしまっては改革も何もできないので、少々裏工作もした。金にまみれた現状の政治家たちの欲望を逆手にとって、彼らを金で買収したのだ。実際、与党である自民党の議員も、野党である日本社会党、民社党、公明党の議員も、容易になびいてきた。

こうした政治工作のための資金も、前述した各種会議や研究会と同様、私が土地や株の売買で稼いだ金をあてていた。当時は新規上場による株式公開が盛んな時代で、数千円で手に入れた株が、週ごとに倍々に値上がりしていくことはざらにあった。しかも、私は大和証券の土井定包社長（当時）とも付き合いがあったため、いろいろ有利な情報をもらうことができ、金は思い通りになっていたといっても過言ではない。

もとより100億円ぐらいの金は用意できていたが、それではまだ不十分だと考え、土井に「この100億円を元手に、500億円ぐらい動かせないか」と相談したところ、彼は大丈夫だという。そこで信頼していた政治家に、「500億円ぐらい渡すから、共産党以外すべての議員を買収しろ」と指示を出したりしていた。

そうした与野党対策の甲斐あって、比例代表制は実現に向かっていた。

また、選挙制度改革と並行して考えたのが、誰を日本のトップにするか、ということである。

私が当時の政治家で一目置いていたのは、田中角栄でもなければ、竹下登、金丸信でもない。中曽根康弘もダメ。唯一「政治家としての真の資質を備えている」と認めていたのは、後藤田正晴ただ一人だった。

後藤田とは、もともと同じビル内に事務所を構えていた縁で顔見知りとなった。本格的に付き合うようになったのは、1974年に後藤田が初の参議院議員選挙に敗れたあと。その選挙で後藤田陣営から268名もの選挙違反者が出て、急遽弁護費用が必要になった彼は、私を頼ってきた。彼の政治家としての資質を認めていた私は、ここで彼の政治生命を終わらせるのは惜しいと思い、金を出してやることを決めたのだ。

彼は「カミソリ後藤田」という異名を持つほど頭の切れる男であり、田中角栄も懐刀として重用していた。また、質実剛健、清廉潔白な性格で、金には節度があり、ジェントルマンだった。

私の頭の中には、比例代表制によって日本を一党独裁国家にした暁には、彼をそのトップ、つまり総理大臣にしようという構想が固まっていた。

日本の政治改革は壮大な目標であったが、当時の私は海外では一国の首相や大統領とも対等に話し合ったりしていたので、「信念も何もない、日本の町人政治家を思い通りにすることなんて容易いことだ」と思っていた。政治改革を実現する自信は十分にあったのだ。

ニカラグア運河によって、トランスワールドシティ建設を

話を再び海外での活動に戻そう。

ドミニカ革命党のペニャ・ゴメスの求めに応じて、ドミニカの大統領選の支援をしたことはすでに述べたが、私はほかにも世界各国の独立運動や革命運動を支援してきた。

たとえば、ナミビア独立を目指していた政治組織（のちに政党）である南西アフリカ人民機構（ＳＷＡＰＯ）のサム・ヌジョマ議長からの要請を受けて、同機構に軍靴や軍服などの衣類、軍事用トラックなど総額５億円ほどの必要物資を提供したことがある。

フィリピンのミンダナオ島を中心に活動していたモロ民族解放戦線も支援していた。モロ民族解放戦線は、フィリピンからの分離独立を求めるイスラム系反政府勢力で、同戦線のリーダーであるヌル・ミスアリが同じイスラム系のアラファトやカダフィと親しかったことから応援するようになったのだ。

中米のニカラグアでは、親米のソモサ政権の打倒を目指すサンディニスタ民族解放戦線に

およそ20億円もの資金援助をした。

私がそうした活動支援を行ってきたのは、ひとつには権力によって搾取されてきた彼らを助けるため、つまり「弱者救済」のためである。私は元来、困っている人、権力者に虐げられたり、攻撃されている人を見ると、放っておけない性質なのだ。

また、もうひとつの理由として、現体制に不満を抱く彼らの活動が実を結ぶことで、その国の政治的・経済的な自立や発展につながったり、アメリカやソ連などの大国の搾取から脱することができれば、世界の支配構造を再編成できると考えたからだ。

本章の冒頭で紹介したローマ・クラブのレポート『成長の限界』には、先進国と発展途上国の関係について次のような記述がある。

「多くのいわゆる発展途上国が、絶対的にも、また経済的な先進国に比して相対的にも向上する場合にのみ、世界の均衡が実現されるのだということを、われわれは認識する。（中略）世界的な努力を欠くならば、今日すでに存在している爆発的な格差と不平等は、ますますその傾向を強めていくだろう。各国が自らの利益だけを求めて行動を続ける利己主義によるにせよ、あるいは発展途上国と先進国との間の力関係によるにせよ、いずれにしてもこうした傾向は悲惨な結果を生み出さざるをえないであろう」

つまり、大国によって搾取されてきた国――実質的にアメリカの支配下にあるという意味では、日本も含まれる――を政治的・経済的に自立させることは、人類危急の課題の解決にもつながっていたのだ。

私は世界中でさまざまな活動支援やプロジェクトに関わってきたが、規模として最大のものがニカラグアの運河計画だった。

発端は、一橋大学の中川學やマサチューセッツ工科大学（ＭＩＴ）とつくったミレニアム委員会だった。この委員会では「千年活用できるものを」というコンセプトの下、さまざまな建造物やインフラ設備のプロジェクトを考案してきた。その中で私が興味を惹かれたのが、「ジブラルタル海峡のトンネル計画」、「クラ地峡の運河計画」、「ニカラグアの運河計画」だった。私はその３つを「世界三大計画」と命名し、実現の可能性を模索するようになった。

この世界三大計画の中で、もっとも取り組みやすかったのは、ニカラグア運河計画である。というのも、私はニカラグアのサンディニスタ民族解放戦線を支援していたし、１９７９年に同戦線がニカラグア革命を成功させて新政権を打ち立てると、戦線の指導者であり、のちに大統領となるダニエル・オルテガから求められて、新政府の経済顧問に就いていたからだ。

１９８２年の春にニカラグアを訪れた際、私はオルテガに「ニカラグア運河を作りたい」

と提案した。彼もアメリカに対する脅威を感じていたため、全面的に賛同してくれた。こうしてニカラグアの運河計画は動き出したのだ。

ニカラグア運河については、前著『怪物フィクサーに学ぶ　人を動かす』や『最後の黒幕朝堂院大覚』（大下英治・著）にも書かれているため、ここでは詳細を省く。

ひとつだけ強調しておきたいのは、私が目指したのは、ただ単に運河を建設するだけではなく、運河の先に自分が理想とする都市の建設を夢見ていたということだ。

運河を作れば、街ができて、人が集まる。道路や鉄道、空港などの交通インフラも必要だろう。人が動き、モノが動けば、金も集まる。運河の周辺地域を自由貿易地区にすれば、経済は爆発的に発展するはずだ。さらに運河周辺の街々には、地球に住んでいる人ならば、誰でも住めるようにする。そうすれば、アメリカとソ連という東西の二大大国のどちらの陣営にも属さず、かつ特定の国家にも属さない、全世界の人類の共有地ができる。その地域では、私が思い描いていた国際宇宙法を憲法として、資本主義でも共産主義でもない、まったく新しい世界秩序を築く。そんな無国籍都市、２００万人規模のトランスワールドシティを、私は作りたかったのだ。

実現には、資金面や技術面のことなど、さまざまな課題があった。

事業規模は5兆円。この膨大な資金を集めるため、「国際運河開発公団」を設立し、ニカラグア政府を保証人として建設債券を発行して、世界中から建設資金を集める計画を立てた。そのための準備として、1985年に「ニカラグア運河開発国際委員会」を設立。私はその会長となり、フランスのミッテラン大統領やイギリスのサッチャー首相など世界各国の首脳から支援の約束を取り付けた。ソーシャリストインターナショナルや非同盟会議で築いた国際ネットワークをフルに使ったわけだ。

技術的な課題には、一橋大学の中川學やMITと組んで「マクロ・エンジニアリング学会」を発足させて、世界中から学者や土木技術者を集めた。1989年には、駐日ニカラグア大使館に日本の総合商社、建設会社、石油会社の担当者が頻繁に訪ねてくるようになった。運河計画が持ち上がっていることを聞きつけ、自分たちも一枚噛みたいと狙ってのことだった。また、同年3月にはニカラグア政府が、東京理科大学の曽村保信を委員長とする「国際運河推進委員会」の民間学術調査団を招き、現地調査を行った。この委員会も私の肝煎りだ。

すべては順調に進んでいるかに見えた。

しかし、計画は意外なところから足元をすくわれてしまった。1990年2月にニカラグアの大統領選が実施されて、オルテガが敗れて、代わりにビオレタ・チャモロがニカラグア初の女性大統領となったのだ。チャモロは親米派で、アメリカと対立していたオルテガのすべてを否定した。私は「前政権への協力者」として新生ニカラグアへの入国を拒否され、もし強引に来るならば逮捕するとまで通告された。当然、運河計画も中止に追い込まれた。

ニカラグア運河計画は、自分の半生の集大成のようなプロジェクトだった。国内外で築いてきた政治家や学者の人的ネットワークを最大限に駆使して、自分が理想とする都市を作るつもりだったからだ。

もし成功していれば、トランスワールドシティの構想をニカラグアから世界へと少しずつ広げていくつもりでいた。そうすれば、必ず世界は変わり、人類が直面していた地球規模の問題も解決に向かっていくはずだった。

運河建設の話をオルテガに持ちかけてからの約8年間。今振り返れば、この期間が私の人生のピークだったかもしれない。

汚名～オウム真理教黒幕疑惑ですべてを失う～

ニカラグア運河の計画が頓挫したあと、2つの大きな出来事が私を襲った。

ひとつは、1992年9月、高砂熱学工業事件に付随したある裁判で、上告が棄却されて私の有罪判決が確定したことである。

高砂熱学工業事件とは、私の会社であるナミレイと、空調機器メーカー大手の高砂熱学工業との業務提携に際して、私が高砂熱学の役員に対して威力業務妨害を行ったとして、1982年に逮捕・起訴された事件だ。

この事件についても前著などで散々書いてきたが、私が高砂熱学の役員を脅したという容疑はまったくの事実無根であり、東京地検特捜部がありもしない事実や証拠を偽造して、強要罪としてでっち上げただけなのである。東京地検特捜部の狙いは、私の逮捕を通じて、私が支援していた後藤田正晴を追い込むことであった。このときの特捜部の包囲網は徹底していた。高砂熱学工業に対する強要罪のほか、その2年前に詐欺師の青山光雄を殴ってケガを負わせた件で暴行罪、１年前に殖産住宅相互から3億５０００万円のビルを３０００万円で回収した件で、同社の社長との合意を得ていたにもかかわらず「脅し取った」という内容を書き換えての脅迫罪、以上３つのでっち上げ事件を仕立て上げていたのだ。

面談した担当検事は「あなたの事件には一切興味はない。後藤田正晴の贈収賄事件があり、そちらに協力してくれませんか?」とはっきりと言っている。検察には正義も真実もなく、ただの卑劣な奴らの集まりだということを、このとき私は身を持って知ることになった。

これらの事件の裁判は10年に及び、高砂熱学工業に対する強要罪では無罪になったものの、詐欺師を殴った暴行罪は１９９２年に執行猶予付きの有罪という判決が下された。まったくもって納得いかなかったが、受け入れるしかなかった。

そして、もうひとつの出来事が、１９９５年のオウム真理教黒幕疑惑だ。

95年の某日——今振り返れば、まさに運命の日だったわけだが——、いつものように飛行機に乗って日本を飛び発ち、ハワイへと向かった。そして、ハワイに到着すると空港で入国審査を受けた。もちろん、やましいことなど何ひとつない。それまで何百回と行ってきた、私にとっては日常の一部といえるプロセスだった。

だが、その日は何かが違っていた。

入国審査官が私に尋ねてきた。

「あなたはオウム真理教と関わりがありますね?」

オウム真理教——このカルト教団について、ここで詳しく説明する必要はないだろう。松本サリン事件や地下鉄サリン事件を起こし、当時の日本を震撼させたテロリスト集団。地下鉄サリン事件発生の数日後、警察の強制捜査が入った山梨県上九一色村の教団施設からはサリンなどの化学兵器製造設備などが発見されて、彼らが麻原彰晃の指示の下、計画的にテロ行為に及んだことが明らかになった。

そのオウムによる地下鉄サリン事件が起こったのが、まさにその年、95年3月のことだった。オウムショックは海外にも伝わっていたはずで、各国はオウム真理教関係者をテロリストとしてブラックリストに載せて、入国制限を行っていたのだろう。

そうした各国の対応は理解できる。しかし、私自身はオウム真理教や彼らが起こした狂信的な事件とは何の関わりもなかった。関係者として入国を禁止されるのは到底納得できることではなかった。

たしかに、オウムと私の間には、わずかではあるが接点があったのは事実だ。ひとつには、サリン事件の5年前の90年、当時経営破たん状態に陥っていたフクニチ新聞とオウム真理教を人を通じてつなぎ、フクニチ新聞にオウムの広告を載せる仲介をしたことがある。そのときは私自身もフクニチ新聞に90億円の資金援助をしており、そのテコ入れのためだった。この広告掲載の関係で、91年に麻原彰晃と1回だけ面会もした。

また、私が主宰していた法曹政治連盟の会員であった高橋庸尚弁護士が、オウムから依頼を受けて弁護活動を行っていたこともある。ただし、この件については、私が指示を出したことではない。高橋が自分の仕事として受けたもので、私自身は彼がオウムの弁護をすることについてはまったくあずかり知らぬことであった。

私とオウムの関係は、これ以上でもこれ以下でもない。私がオウムの犯罪行為に加担したり、操ったりしている事実はどこにもなかった。

ハワイの入国管理事務所でもそのことを伝えて、「私とオウム真理教は関係ない」と反論したが、アメリカ側は「あなたは我が国に入れなくなっています」の一点張り。埒が明かないので、そのときはしぶしぶ日本へと引き返すことにした。

だが、帰国後、事態はさらに悪化する。日刊紙や週刊誌などが、私が「オウムの黒幕」であるという記事を書きはじめたのだ。さらに、警察が私の身辺の捜査に動き出しているという情報も入ってきた。

「いったい、どうなっているのだ……」

疑問に思った私は、なぜ自分がオウムの黒幕とされているのか、独自に調査を進めた。すると、警察が握っていた1通の供述調書の存在に行き当たった。

その供述調書では、私が麻原彰晃に対して大きな影響力を持っており、一連の事件の真の首謀者も私で、麻原彰晃を中心とするオウム真理教はそのクーデター計画の一部隊に過ぎない、とされていた。日付は95年5月31日。供述者は、読売新聞政治部出身の政治評論家、菊池久だった。

菊地とは面識はあった。この調書の数年前、菊地が、法曹政治連盟について話を聞かせてほしいと、私を訪ねてきたことがあったのだ。そのときに私は、連盟設立の意図や目的を彼に話していた。

菊池はそのときの話を〝超〟拡大解釈して、次のような話を調書内で展開していた。「松浦良右氏は、法曹政治連盟の総裁であり、会員・同志を国政選挙に擁立して当選させたうえで、国政に参加することを目指しており、その先に政権奪取を狙っている」として、「仮に政権奪取に失敗した場合は、直ちに自衛隊の蜂起を促して、その兵力によって官邸や中央官庁を制圧し、革命的クーデターによって新政府を樹立する計画を持っている」。そして、「オウム真理教の国家転覆構想と松浦氏の考えは非常に酷似している。実際、調べてみると、オウム真理教と松浦氏には深いつながりがある。そのため、自分は、松浦氏の暴力による政府転覆思想が麻原彰晃に吹きこまれ、そのために麻原彰晃とオウム真理教があのような事件を起こしたと確信している」。

この供述調書がきっかけとなり、警察が動き、マスコミが騒ぎ、そしてアメリカは私を入国拒否にしたのだろう。しかし、これは菊池が作り上げたフィクションストーリー以外の何ものでもなく、まったくの事実無根だった。

事態を重く見た私は、まずは菊地のもとに乗り込み、ことの次第を問い質した。彼はただひたすら土下座をして謝ってきた。さらに、菊池が書いた私に対する中傷記事を載せた某雑誌の編集長を連れてこさせて、その雑誌に私のインタビュー記事を掲載させた。そこで私は、自分とオウム真理教との関係を洗いざらい語り、自らの言葉で身の潔白を主張した。ほかの雑誌でも、警察の捜査やマスコミ報道がいかにいい加減であるか、そして自分はそのために重大な汚名を着せられてしまったことなどについて語った。

しかし、こうした反論活動をもってしても、燃え上がった疑惑の炎を消し去ることはできなかった。警察は、私をオウムの黒幕として認定して、異常ともいえる捜査を実施。私が関係する会社すべてに捜査員を派遣したり、銀行口座を調べ上げたりして、オウム関連企業というレッテルを貼ってまわった。当然、銀行は私個人や私の会社との取引を停止して、結果として私が関わっていた企業18社はすべてつぶれてしまった。

政治活動のために組織していた、数多くの議員連盟、法曹政治連盟、国際宇宙法学会、各国との安全保障協議会なども、メンバーたちが根も葉もない噂話を信じて離れてしまい、自然消滅してしまった。さらに海外の国々は、私をテロリスト、危険人物とみなすようになり、アメリカ同様、足並みをそろえて入国禁止の措置をとってきた。この事件を境に、私は日本から一歩も外へ出ることができなくなってしまったのだ。

オウム事件以前には、自分の信念に基づいて行動を起こしたり、志ある者を助けたりするための十分な資金があった。また、私が一の指示を出せば十を悟り、指示通りに動いてくれる優秀なスタッフが１００人以上はいた。東大、一橋、慶應、早稲田など日本のトップクラスの大学に籍を置く学者たちとの連携もあった。それらすべては世界を相手に勝負をして、自分が理想とする社会を築くためだった。

そうしたすべて――会社も資産も人脈も、オウム事件に巻き込まれて汚名を着せられることで、私は失ってしまった。また、外国に行くこともできなくなり、それまでのように世界の首脳たちと頻繁に会ったり、ニカラグア運河計画のような世界的なプロジェクトに関わったりすることも一切なくなった。まさに手足をもがれたような思いだった。

95年、54歳のときに私の人生は終わってしまった。大げさではなく、私はそう感じている。

マイケル・ジャクソンと「国際宇宙法」で意気投合

ただ、95年以降で特別な出会いがひとつだけあったことをぜひ記しておきたい。その男との関係が長く続いていれば、私は今も世界や人類の問題に深く関わっていたかもしれないからだ。

その男とは、世界的なポップスターであったマイケル・ジャクソン。彼と私は、互いの世界観・宇宙観で共鳴し合い、まるで父子のような関係性を築いていた。

彼との関係のきっかけとなったのは、先述した「ディプロマティック・クラブ」だ。私はここに出入りしていた大使館関係者や彼らが連れてきた客に、主宰していた各会議や研究会の報告書・研究論文などを英訳して渡していた。その一人が、のちにマイケルの秘書となり、その男を経由して報告書や研究論文がマイケルの手に渡ったのだ。その中には、黒人をはじめとした有色人種の権利に関するものや国際宇宙法に関するものがあった。それを読んだマイケルが興味を抱き、私に会うことを熱望したのだ。

はじめての会談が実現したのは、１９９７年のこと。マイケルは、私と会うためだけに極秘来日してくれた。

彼の曲を聞き、その歌詞とじっくりと向き合えば、マイケルが世界平和や地球環境の問題を真剣に考えて、地球上のすべての人類、特に子供たちのために愛にあふれた世界を作りたいと本気で願って、自分の歌を通じて世界にメッセージを発していたことがわかるだろう。

一方、私のこれまでの活動――世界の政治家たちとの交流や活動支援、日本における政治改革の取り組み、さまざまな会議や研究会の実施、ニカラグア運河の計画など――も、世界をよりよい方向に変えて、地球環境の問題、先進国と発展途上国の経済格差の問題、人種差別の問題を解決し、人類が今後何百年、何千年と生存できる平和で安全な世界を作ることが目的だった。

つまり、マイケルと私は、互いに人種も違うし、住む世界やそれまでやってきたことは異なるとはいえ、目指す理念、理想とする宇宙観や世界観はまったく同じだったのだ。

そんな二人だから、初対面にもかかわらず、すぐに意気投合して、お互いが関心を持っているさまざまな問題について意見を交わし合うことができた。

大量生産・大量消費・大量廃棄経済とそれに関わる資源の無駄遣いや環境破壊のこと。核を持たない国同士が団結して、核保有国に対抗していこうという非核諸国同盟会議の構想について。虐げられている人、困窮している人、飢えている人を助けたいという弱者救済のこと。特に、国際宇宙法学会について、マイケルは強い共感を示してくれた。

この97年の会談では、3日間をともに過ごした。そして、私たちはすっかり信頼し合い、マイケルの方から「あなたのことをファーザーと呼んでもいいか」と申し出てくれた。私としてももちろん異存はなく、こうして私たちは自分たちの理想と心の絆で結ばれた父子になったのだ。

翌年の1998年には、公式に来日したマイケルの記者会見をホテルオークラ東京で大々的に開催した。その会見には私も同席し、「マイケル・ジャクソン・ジャパン（MJJ）」の設立、テーマパークと大型おもちゃ店「ワンダー・ワールド・ランド・オブ・トイズ」の建設構想を発表した。会見会場には600〜700人ほどの報道陣が世界中から集まっていた。

また、それと同時に、「日本およびアジアにおけるマイケル・ジャクソンの画像・映像を使用する権利を、今後25年間、排他独占的に松浦良右（朝堂院大覚）に委ねる」という旨を記した文書を公表した。極東における自身の権利をすべて委ねるのは、マイケルにとっても勇気がいることだったと思うが、そこは私との信頼関係があったからこそだった。

その後、ＭＪＪをはじめとしたビジネスのことは息子に任せて、私自身は直接タッチしていなかったが、折に触れてマイケルとは電話で話したりしながら、世界の問題について意見を交わしたりしていた。

しかし、その交流も、２００９年に彼が突然の死に見舞われることで途絶えてしまった。彼の死については、私自身思うことがたくさんあり、詳しくは『マイケルからの伝言』に書いているのでそちらを読んでほしい。

ここで話しておきたいのは、マイケルは世界の平和や地球を守ることに強い関心を持っており、その点において私と同志であったということだ。

いつか彼とともに理想の世界を実現させたいと思っていた私にとっては、彼の死は自分自身のことのように、まるで自分の心身の一部を失ってしまったかのように、つらく、悲しい出来事であった。

第2章

新しい世界秩序のための提言

世界が抱える問題は、今のままの政治体制では解決できない

前章の冒頭で、今の世界が抱えているさまざまな深刻な問題は半世紀前にすでに警告されていた、と書いた。

人類が直面する共通の課題として、ローマ・クラブの『成長の限界』で指摘されていたのは、「人口」、「エネルギー・資源」、「環境」、「核兵器（軍備）」、「食料」など多岐にわたっていた。『成長の限界』の出版後、あまりにもセンセーショナルな内容に世界の産業界からは抗議と非難の声が上がり、ローマ・クラブに対して「ゼロ成長論グループ」、「反成長グループ」などというレッテルを貼った。しかし、ローマ・クラブの警鐘を真摯に受け止め、世界のあり方を「成長」から「均衡」へと移行させる取り組みをはじめる良識的な人々もいた。

たとえば、70年代半ばから90年代初頭まで長らくソーシャリストインターナショナルの議長を務めていた、西ドイツのヴィリー・ブラント。77年、彼を委員長として、国連に「国際開発問題に関する独立委員会」（通称「ブラント委員会」）が発足して、80年には『南と北――

生存のための戦略』という報告書を提出した。ブラント委員会では、南北の経済的・社会的側面から世界平和の問題にアプローチをしていた。

スウェーデンのオロフ・パルメが主宰した国連の「軍縮と安全保障問題に関する独立委員会」（80年発足。通称「パルメ委員会」）では、82年に『共通の安全保障――核軍縮への道標』を国連事務総長に提出。真の世界平和には国家間の経済的、社会的公正だけではなく、安全保障や軍縮、核兵器不拡散の問題が重要だと提言した。

この両委員会については、ソーシャリストインターナショナルを通じて、私もさまざまな情報を得ていた。

さらに、パルメ委員会のメンバーであったノルウェーのグロ・ハーレム・ブルントラントが委員長となり、１９８３年に発足した国連の「環境と開発に関する世界委員会」（通称「ブルントラント委員会」）では、87年に報告書『地球の未来を守るために』を提出。環境保全と開発の関係性について、「将来の世代の欲求を満たしつつ、現在の世代の欲求も満足させるような開発」という「持続可能な開発」の概念を打ち出した。

人類が直面するさまざまな問題を解決しようという動きは、この数十年の間、途絶えたことはないし、今も続いている。

しかし、世界の現状はよくなるどころか、さらに悪化しているようにさえ見える。なぜか。私の見解では、右に述べたような良識ある人々は少数派であり、十分な力を持ちえなかったからではないかと思っている。

結局、世の中を動かしているのは、良識ある少数派の人々ではなく、強大な資金力のある大企業であり、その金によって権力を維持している金権政治家たちや、地球の未来よりも自分の生活や財布の中身など目先のことにしか関心のない圧倒的多数の一般の人々である。非常に残念なことではあるが、これが現実なのだ。

世の中を操る大企業の代表格が、国際石油資本と呼ばれる石油系巨大企業複合体だ。70年代ごろまでは「セブン・シスターズ」と呼ばれた7社が石油の生産・販売をほぼ独占し、世界の大財閥となった。

ちなみにセブン・シスターズとは左の7社のことを指す。

【アメリカ系】5社

●「スタンダードオイルニュージャージー」(のちの「エクソン」。その後99年に「モービル」と合併し「エクソンモービル」に)

●「スタンダードオイルニューヨーク」（のちの「モービル」。99年に「エクソン」と合併して「エクソンモービル」に）、
●「スタンダードオイルカリフォルニア」（のちの「シェブロン」）
●「ガルフオイル」（のちの「シェブロン」、一部は「BP」に）
●「テキサコ」（のちの「シェブロン」）
【イギリス系】1社
●「アングロペルシャ石油会社」（のちのブリティッシュペトロリアム。01年に会社名の変更でBPに）
【イギリスとオランダ】1社
●「ロイヤル・ダッチ・シェル」
70年代に入るとOPEC（石油輸出国機構）の台頭があったが、欧米系の石油会社は合併・統合を繰り返し、「スーパーメジャー」と呼ばれる6社で石油マーケットの再支配を試みた。スーパーメジャーは左の6社。
●エクソンモービル

●ロイヤル・ダッチ・シェル
●BP
●シェブロン
●トタル（フランス系）
●コノコフィリップス（アメリカ系）

彼ら国際石油資本が世界中で石油を掘って掘って掘りまくり、全世界に売ることで、大量生産・大量消費・大量廃棄経済は世界中に蔓延していったのだ。

ただ、幸いだったのは、80年代までは東西冷戦があったため、世界一の人口を抱える中国や世界最大の領土を持つソ連が資本主義市場経済に加わらず、またインドも社会主義の影響の下、計画経済を行っていた。そのおかげで、化石燃料の過剰消費は今ほど深刻な状態に陥っておらず、環境破壊もそれほど急速には進行しなかった。

しかし、70年代終わりには中国で鄧小平が改革開放路線を打ち出し、80年代半ばにソ連のミハイル・ゴルバチョフがペレストロイカを推進し、共産主義国にも資本主義経済が導入。インドも90年代から資本主義経済を志向するようになった。

中国、ソ連、インドという大国の転換によって、世界の主だった国が資本主義市場経済、つまり大量生産・大量消費経済を採用することとなり、その結果、一気に資源の過剰消費と環境破壊が悪化していったのだ。

世界が抱える深刻な問題を現状の政治体制で改善できるかといえば、悲観的にならざるをえない。

その理由のひとつは、世界の主要な国々が今も資本主義市場経済で動いているからだ。きっとどの国の政治家も企業経営者も、口では「地球環境の悪化を懸念しており、この問題に真剣に取り組まなければならないと考えている」と言うだろう。しかし、資本主義市場経済を採っているかぎりは、結局「地球環境」よりも「目先の利益」、「金儲け」を追求するはずだ。

良識ある人は、諸悪の根源が資本主義であり、このまま資本主義を続けて行っても先がないこと、つまり資本主義経済が限界を迎えていることに危機感を抱いているかもしれない。だが、かといって、資本主義に代わる新たな経済システムの見通しが立っているかといえば、残念ながらまったく立っていない。共産主義に基づく計画経済が機能しないことはすでに歴史が証明している。資本主義のほかに選択肢がないことも、世界の人々が現状に止まる要因のひとつになっていると思う。

また、百歩譲って、新たな経済システムがあったとしよう。その新たなシステムが機能するかは未知であり、限界に達している資本主義から新システムへと舵を切るに当たっては官僚組織や企業、国民から反対、批判、不安の声が上がる可能性は高い。そうした逆風に逆らって改革を推し進めるのは、政治の役割であり、強いリーダーシップが必要となる。しかし、それだけの器があるリーダーが今の政治の世界にはほとんどいない。今の政治家には、地球の百年後、千年後を見通せる世界観がある人間はほとんどおらず、みな自国の経済など内向きのことばかり気にする小人物ばかりだ。

そして、そうした政治家たちを選んでいるのは、現行の民主主義のもとでは国民であり、国民の意識も鈍っているといえる。その背景には、マスコミの問題もある。今のマスコミは独自の取材や分析に基づいて政策や政治の問題点や改善点を指摘したりすることができず、ただただ記者クラブで発表された情報を垂れ流すか、政局報道に終始している。これでは国民が政策や政治について考える機会もなく、愚民化するのも仕方ないといえる。つまり、今の民主主義国家は、衆愚民主政治という危機的な状況となっているのだ。

現在の日本の政治がその典型だろう。たとえば、前首相の安倍晋三という男は、どう考えても一国の指導者の器ではなかった。彼の頭にあったのは私利私欲を満たすことと自分の保身だけで、それは森友・加計問題や、金をばら撒くだけの外交姿勢を見てもはっきりしている。しかし、そんな男が、内閣総理大臣として憲政史上最長の在任期間を記録したのは信じがたいことだ。安倍を内閣総理大臣に指名したのは自民党で、選挙で自民党の議員を選んだのは国民である。まさに安倍は、愚かな国民が選んだ、愚かなリーダーだったのである。

以上のような要因をひとつひとつ見ていけば、もはや現状の延長線上には、問題解決の可能性がほとんどないことがわかるはずだ。そして、何も変わらない現状を続けていけば、地球環境は取り返しのつかない状態になり、この地球もわれわれ人類も破滅するしか道はなくなる。

この世界に必要なのは、現状から大きく逸脱した抜本的な革命である。

2020年、ゲイツ財団やWHOをはじめとしたニューコート勢力が、全世界同時多発コロナウィルス事変を起こし、世界統一政府樹立へと本腰を入れて動き出したのも、今のままでは地球そのものが滅びてしまい、自分たちの生存すら危ぶまれている現実を目の当たりにしたためだ。彼らはこれから世界統一政府によって、新たな経済システムの確立や、化石燃料に替わる新たなエネルギーの導入など、世界システムの抜本的な改革を行っていくだろう。

全世界を統べる政治機構を構築し、その指示のもとでこの世界を正しい方向に導いていくというビジョンは、実は私自身が半世紀近く前から思い描いていたことでもある。
次項以降に、これまで私が思い描いてきた構想を述べていきたい。

世界憲法が統べる世界統一機構を設立し、化石燃料の使用を段階的にやめていく

環境危機の主要な原因は、大量生産・大量消費・大量廃棄経済のもとでの化石燃料の過剰消費にある。金儲けのため、利己的な欲望を満たすために、石油をはじめとした化石燃料を際限なく掘り起こし、燃やし続けたために、現在の危機的状況になってしまったのだ。

だから、真っ先にやるべきは、化石燃料の使用規制であることはわかりきっている。

しかし、どの国の政治家も企業経営者も、自国や自社の経済活動を停滞させることを恐れて、化石燃料の過剰消費やそれによって発生しているさまざまな問題に対しては見て見ぬふりをしている。結局、世界観のないリーダーに率いられた企業や国家に任せていては、いつまで経っても正しい道を進んでいくことはできないのだ。

そこで私が構想したのが、「世界統一機構」であり、その機構を統べる「ワールドコンスティチューション（世界憲法）」を制定することだ。

環境汚染や資源の枯渇など全人類に関わる問題については、世界憲法でルールを定め、世界統一機構で解決していく。そうした体制を作ることができれば、世界のあり方を抜本的に変えることができると私は信じている。

現在の世界にも、国際連合という国家をまとめる国際組織は存在している。ただ、国際連合の場合は、あくまで国家を一単位として、国際的な問題に対しても国と国とが集まって協議、解決していこうとする。こうした体制では、ときとして各国が自国の利害を主張し合い、話がまとまらないケースに陥ってしまうことも多い。

私が構想する世界統一機構では、世界を一単位として、すべての問題を「国」ではなく、「世界」という枠組みで討議することを目指す。国で議論しているかぎり、各国の勝手な思惑や主張に振り回されてしまうが、世界で議論をすれば、全世界、全人類のためにやるべきことに一直線に取り組むことができるはず。国連が「United Nations」、つまり国家の連合体であるならば、世界統一機構は「Trans World Organization」、つまり世界をひとつに貫く組織である。

こうした世界的組織の必要性については、『成長の限界』の中でも述べられている。以下、引用する。

「われわれは、技術の変化に対応すべき社会変革や、制度や政治、終局的には世界国家組織までも含んだあらゆる段階における根本的な変革の必要性が急速に明白化するものと信じている。（中略）人類がもし新しい進路に向かって踏み出すとすれば、前例のないほどの規模と範囲での一致した国際的な行動と長期計画が必要となるであろう」

私がいう「世界統一機構」とは、ここにある「前例のないほどの規模と範囲での一致した国際的な行動と長期計画」を実施するための「世界国家組織」であると理解してくればいい。

世界統一機構を作り、世界憲法を制定する。そして、この世界憲法によって、ガソリン車の使用禁止条約を定めたり、水素燃料エンジンを義務化するなどして、化石燃料の段階的使用規制やCO_2の排出規制、代替エネルギーの開発及び使用義務化などを推進していく。

化石燃料の使用規制なんて非現実的だし、不可能だという人もいるかもしれない。だが、それはこの問題に本気で取り組むかどうかにかかっていると私は思う。

たとえば、2013年に国際連合環境計画で採択された「水銀に関する水俣条約」（水銀を含む蛍光灯、電池、血圧計などの製造と輸出入を禁止する国際条約）を思い出してほしい。蛍光灯や電池はわれわれの生活にとって欠かせないものであるが、ある程度の期間をかけて代替品を開発・普及させていくことで、条約で使用禁止を定めることができた。

これと同じことが、化石燃料でもできるはずだ。まず、石油、石炭、天然ガスの使用を数年かけて段階的に縮小して、やがてゼロにすると法律で決める。その間に最先端の科学技術を駆使して、代替エネルギーを開発する。ひとたびやめることが決まれば、人間は自分たちの社会や経済を維持するため、必死になってCO_2の出ない、環境を破壊しない代替エネルギーを開発するはずだ。もし代替エネルギーが、化石燃料に比べて高コストになるならば、そのコストに見合った経済、社会を構築していけばいいだけの話なのだ。

まずはやめることを決めなければ、何も始まらない。やめることを決めれば、すべてが動き出す。私はそう考えている。

また、世界統一機構を作れば、問題を引き起こしている化石燃料の過剰使用を規制するだけではなく、地球や人類のためになる平和プロジェクトをスムーズに推進することもできるはずだ。たとえば、私が80年代に取り組んだニカラグア運河の計画は、大統領の交代という一国家の事情によって未完のままだが、世界統一機構が主体となって実行すれば、実現の可能性はかなり高まるだろう。

まずはユーラシアの統一を～ユーラシアアライアンス構想～

私の構想の最終目標は、世界統一機構の設立であり、世界憲法の制定だ。

ただ、いきなり全世界を統一するような国際組織はできないだろう。そのため、前段階として、もう少し地域的な国際組織を構想している。

それがアジア、ロシア、中東、ヨーロッパを統一した「ユーラシアアライアンス」構想である。

ユーラシアの統一も、世界統一機構同様、途方もない話に聞こえるかもしれないが、歴史を振り返れば、それほど唐突な発想ではないことがわかるはずだ。

ユーラシアという枠組みが強く意識されるようになったのは1920年代。ロシア革命によって国外へ亡命したロシア人——代表的な人物として、言語学者のN・S・トルベツコイや地政学者のP・N・サヴィツキーらがいる——がユーラシア主義という考え方をはじめて提唱。その見解は、「ロシア＝ユーラシア」は、ビザンチン文明の継承者であるとともに遊牧世界帝国の継承者でもあり、つまり「ロシア＝ユーラシア」において東（アジア）と西（ヨーロッパ）の文明の多様性が融合する、という考え方である。

実際、ソ連はユーラシアにおいて巨大な連邦国家を形成して、さらにワルシャワ条約機構によって東欧諸国を勢力下に入れることで版図を広げていった。

ソ連崩壊後、いったんユーラシアの巨大連邦国家は分断されてしまうが、２０００年代に入るとまず「上海協力機構」が設立。同機構は、中国、ロシア、カザフスタン、キルギス、タジキスタン、ウズベキスタンの6カ国でスタートし、15年にインドとパキスタンも正規加盟した。ほかにモンゴル、イラン、ベラルーシ、アフガニスタンをオブザーバー国に、スリランカ、トルコ、アゼルバイジャン、アルメニア、カンボジア、ネパールを対話パートナー国とするなど、ユーラシアを網羅するような広がりを見せている。

また、旧ソ連圏内でも、10年代に入って「ユーラシア関税同盟」「自由貿易圏に関する条約」など経済的な統一を目指す動きが活発化し、15年1月にはロシア、ベラルーシ、カザフスタン、アルメニアによる「ユーラシア経済連合」が正式に発足した。その先には「ユーラシア連合」の構想も動いているようだ。

中国は、陸路と海路の両方からアジア、ヨーロッパ、中東、アフリカをつなぐ巨大経済圏の確立を目指す「一帯一路」構想を立ち上げ、急速にインフラ整備や貿易促進、資金の往来を進めている。

15年には、中国の習近平とロシアのウラジミール・プーチンが会談し、一帯一路とユーラシア経済連合とを連結させる共同声明を発表。翌16年には、プーチンは「大ユーラシア・パートナーシップ」構想を発表して、一帯一路、ユーラシア経済連合、上海協力機構がユーラシア諸国の連携の土台となることを表明。習近平も、大ユーラシア・パートナーシップ構想への支持を明らかにしている。

つまり、ユーラシアアライアンス構想は、私の頭の中だけの思い付きではなく、世界の潮流でもあるのだ。

また、私がアメリカでもなく、ヨーロッパでもなく、ユーラシアという枠組みを重視するのは、ユーラシア最大の領土を持つ国ロシアを率いるウラジミール・プーチンの存在が大きい。

私にいわせれば、プーチンは「奇跡の政治家」である。堕落した政治家ばかりが溢れる今の世界にあって、唯一自分の信念を持ち続け、かつそれを実現している男だからだ。

１９９１年のソ連崩壊後、ロシア経済は破綻し、国は膨大な財政赤字を抱え、貧困層は数百万人規模に拡大。98年にはデフォルトを宣言し、金融危機に襲われた。さらに、もともと国営だった企業の民営化の過程で新興財閥が跋扈してロシア経済を支配して、政治に対しても強い影響力を持つようになっていた。

そんなどん底に落ちたロシアを復活させたのが、まさにプーチンなのだ。２０００年、大統領に就任すると、まずは国内統治を強化するために連邦管区制を敷き、中央集権化を推進。さらに、ユダヤ系新興財閥の大物であり、ロシアのメディア王と呼ばれたグシンスキーをはじめ、新興財閥を次々と脱税や横領などの容疑で逮捕・告発して彼らの力を削ぎ、政治を自らの手に取り戻した。経済政策では、土地の私有と売買を自由化したり、税制改革を行うことで税収の安定化を図った。

２０００年代以降のロシアの経済発展は、たしかに原油価格の高騰の影響が大きいが、その土台としてプーチンの改革があったことは間違いない。

彼のさまざまな改革の根底には、元ＫＧＢとして強いロシアを取り戻し、旧ソ連のような強大な国家を復活させたいという志がある。その信念が、彼の国家戦略を形成し、リーダーシップの柱となっている。新興財閥を次々と追放したのも、彼らの利権を奪って私腹を肥やすためではなく、個人的な恨みを晴らすためでもない。彼ら財閥が、金儲けのために国を堕落させ、国民を蔑ろにしていた、ロシアにとって害悪以外の何物でもなかったからだ。新興財閥の追放は、国家の健全化のためには避けては通れない道だったのだ。

また、アメリカへの身売りを画策していた石油最大手ユコスのホドルコフスキーを脱税などの容疑で逮捕した「ユコス事件」をきっかけにアメリカとの対立が本格化。アメリカはロシアの力を押さえこもうと、旧ソ連圏内のグルジアでバラ革命を、ウクライナでオレンジ革命を、キルギスでチューリップ革命を起こし、各国で親米反ロ政権を樹立。対するプーチンは毅然とした態度で対応し、それらの国に対して経済制裁や軍事介入を行った。

さらに何事も力で押し通そうとするのではなく、先述した「上海協力機構」や「ユーラシア経済連合」などのように外交力も発揮して、将来の「ユーラシア連合」に向けて着実に足場を固めている。アジアの超大国である中国や資源の宝庫である中央アジア諸国との結びつきを強めるなど、ユーラシアという枠組みを意識したプーチンの戦略は、私も大いに共感するものである。

ユーラシアでは今、中国が最大の政治力、経済力を持っている。しかし、19年の香港デモでも明らかなように、国内では反政府運動や暴動が年間20万件以上頻発して安定性を欠いているし、環境問題も年々深刻化している。経済発展を盾に表向きは何とか体面を保っているものの、内側はぼろぼろ。まさに張り子の虎状態になっている。なぜ、これほど混乱しているかといえば、やはり政治力の差だと思う。

現段階ではまだ中国に勢いがあるが、今後はプーチン率いるロシアが逆転するだろう。そう考えると、私のユーラシアアライアンス構想を実現してくれる可能性がもっとも高いのは、やはりプーチンということになる。

私はこれまで国内外の数々の政治家を見てきたが、プーチンは現代の政治家の中ではトップクラスの男である。政治家としての信念があり、確固とした国家戦略も持っている。人を動かし、魅了するリーダーシップも十分に備えている。彼に期待したい。

世界の再編は始まっている～結集するユーラシア勢力～

プーチンの頭の中には、旧ソ連圏やユーラシアの勢力を結集することで、アメリカやヨーロッパに対抗するための第三の勢力を作ろうという狙いがあるのだろう。

事実、世界の勢力図は徐々にプーチンの世界戦略通りに再編されつつある。

91年のソ連崩壊以後、しばらくはアメリカの一国覇権主義の時代が続いた。アメリカは自国に利益誘導をするために世界各地で戦争や紛争を起こしたり、国民たちによる民主化運動（反政府デモやクーデター）を装って反米的な指導者を次々に潰していった。

90年代にはユーゴスラビア内戦。旧ソ連圏では、03年のグルジアのバラ革命、04年のウクライナのオレンジ革命、05年のキルギスのチューリップ革命という一連のカラー革命によって、親米反ロの傀儡政権を樹立した。中東地域では、03年のイラク戦争でフセインを拘束（その後、死刑）。10～11年のチュニジアのジャスミン革命から波及した「アラブの春」では、11年にエジプトでムバラクを追放し、同年リビアではカダフィを殺害した。これらはすべてアメリカの世界戦略に基づき、米軍やＮＡＴＯ軍が表立って攻撃を行ったり、ＣＩＡが裏で糸を引いて各国の反体制派勢力を操ったりして、意図的に作り上げられた紛争や反政府活動である。アメリカは世界中で我が物顔で振る舞い、やりたい放題やっていたのだ。

しかし、プーチンも黙って見ていたわけではない。

旧ソ連圏で親米反ロ傀儡政権を次々に誕生させたカラー革命は、05年にウズベキスタン、06年にベラルーシでも起きそうになったが、両国の親ロ派政府がデモを武力で鎮圧したり、活動資金の流れを断ち切ることで阻止。シリアのアサド政権による反政府勢力への武力弾圧を非難して、米・英・仏が国連安全保障理事会でシリア制裁決議案を出したときには、ロシアは中国と結託して拒否権を行使。アメリカやＮＡＴＯ軍の動きを封じた。

現在も続いているウクライナ東部紛争の発端となった親ロシア派のヤヌコビッチ大統領（当時）に対する反政府デモも、もとはといえばＣＩＡが大量の金をばらまいて作り上げたものだ。プーチンとしては、デモ発生後すぐにでも鎮圧に動きたかったはずだが、ちょうどソチオリンピックと重なっていたため、動くに動けず、しばらくは静観していた。しかし、オリンピック終了とともに本格的にウクライナ工作を始動させ、その手はじめとして14年３月にクリミアをウクライナから独立させて、ロシアに編入してしまったのである。

右のような歴史を振り返ると、00年代中頃からロシア＝プーチンの力が強大化し、当初はアメリカ優勢だったパワーバランスが、徐々にロシア側に傾いてきているのがわかる。

ロシアによるクリミア併合をきっかけに、アメリカとＥＵ諸国はロシアに対する経済制裁へと動き出した。しかし、この制裁も強大化するロシアにとっては痛くも痒くもなかった。なぜなら、ロシアはすでに、アメリカ、ヨーロッパに対抗する〝第三の巨大勢力〟を築きつつあったからだ。

その第三の勢力は、現段階では３つの柱から成り立っている。

ひとつ目が、「上海協力機構」。15年にインドとパキスタンが正式加盟したことで、加盟国の面積はユーラシア大陸の５分の３に達し、総人口は30億人を超える規模となり、世界最大の地域協力組織となっている。合同軍事演習も１～２年に１回のペースで行っており、18年には加盟８ヵ国による初の合同軍事演習「平和への使命２０１８」を実施。イランやアフガニスタン、イスラエル、エジプト、サウジアラビアなどの中東諸国も加盟申請をしているようで、今後さらに拡大していく可能性も高い。上海協力機構は、ユーラシアを基盤とした新たな安全保障体制に発展しようとしている。

ふたつ目は、「ユーラシア経済連合（ＥＥＵ）」。現在の加盟国はロシア、ベラルーシ、カザフスタン、アルメニア、キルギスの5ヵ国だが、ベトナム、イラン、セルビア、中国などと貿易協定を結び、EEU経済圏は徐々に拡大している。EEUの狙いは、人や物、資本などの移動の自由を保障して、エネルギーや農業などの分野では共通の政策を行っていくことであり、今後旧ソ連諸国の経済的な再統合はさらに広がっていくであろう。

そして、3つ目の柱が「BRICS」。かつては有力新興国に対するマーケティング戦略の用語に過ぎなかったBRICSだが、近年は各国（ブラジル、ロシア、インド、中国、南アフリカ）が積極的に協力関係を築くようになり、巨大な世界勢力としてその存在感を増しつつある。それを顕著に示すのが、14年7月のBRICS首脳会議で合意された「新開発銀行（通称BRICS銀行）」の設立である。BRICS銀行の融資活動は活発で、19年までにその融資総額を160億ドルまで増やしている。欧米主導の世界通貨基金や世界銀行に代わる、新しい世界組織、世界秩序を目指していることは明らかである。

つまり、ロシアの背後には、旧ソ連諸国はもちろん、中国、インドというアジアの二大大国、さらにはブラジルを窓口とした南米大陸、南アを窓口としたアフリカ大陸が控えている。それゆえ、どれだけアメリカやEUから制裁を受けても強気でいられるのだ。

凋落するアメリカ、EU

むしろロシアに対して制裁を加えていたEUやアメリカの方にこそ、陰りや迷いが見られる。

冷戦構造が崩壊してから、アメリカは一国覇権主義のもと、自国の利益のために世界中で傍若無人な振る舞いを繰り返してきた。その結果はどうだ？

アメリカが戦争を仕掛け、自分たちにとって都合の悪い指導者を排除した国々では、国土が荒廃し、経済が混乱し、多くの難民まで出ているではないか。イラクは、フセインが支配していたときの方が豊かで安定した国だった。リビアは、カダフィを失ったことで国をまとめる人間がいなくなり、無政府状態に陥り、部族同士の殺し合いもはじまっている。シリアでは内戦激化によって、罪もない市井の人々が家を失い、食料不足に苦しみ、６５０万人以上の難民を生んだ。

アメリカがどれだけ表向きを「民主化のため」「独裁者から人々を解放するため」「世界の

平和・秩序を保つため」などと取り繕おうが、どう考えてもその国の政治や経済、その国で暮らす人々のためにはなっていない。逆にそれらを破壊しつくしているのだ。そんなアメリカの悪行三昧に、世界中の人々が反感を抱き、そっぽを向きはじめている。

さらに経済面でも、いまだ世界第一位の経済大国の地位にはいるものの、2000年代に入ってからの中国やロシアの台頭などによって、その勢いはかつてほどない。戦争をマッチメイクして儲けようにも、ロシアや中国に妨害されてしまう。戦争を起こし、武器を売って大儲けするという、アメリカ得意のビジネス手法ができなくなっているのだ。

オバマ時代、アメリカの「弱気」が、さまざまな政策に現れていた。その典型が、キューバとの国交回復だろう。アメリカはキューバをテロ支援国家に指定して、半世紀以上にわたって国交を断絶して、経済制裁を課してきた。しかし、15年になって突如として国交回復に向かって動き出したのだ。その背後には、ロシア・中国と南米諸国との接近に対する脅威があることは間違いない。

当時、ロシアに対しても歩み寄りの姿勢を見せており、15年5月にはケリー国務長官がロシアを訪問。プーチンやラブロフ外相と会談を行い、米ロ関係の改善を打診している。プーチンとしては、まさにしてやったりという気分だったろう。

長年対立し、金融制裁や原油取引制限などを続けてきたイランとも15年に核合意を結び、制裁を解除している。この核合意には、イギリス、ドイツ、フランスといったＥＵ諸国のほか、中国とロシアも加わっている。

大統領がトランプに代わり、彼は「強いアメリカ」や「安全な世界」を取り戻すことを標榜し、キューバへの経済制裁の再強化、イラン核合意からの離脱など、オバマ時代の「弱気」な外交政策をことごとく否定するような行動・発言を繰り返しているが、私からすればただの悪あがきにしか見えない。また、トランプが自国の経済を守るという大義名分のもと、世界各国に貿易戦争を仕掛け、保護主義的な措置を取れば取るほど、アメリカ以外の国々は反アメリカで団結し、かつての覇権国家アメリカが孤立をしていくという皮肉な結果を生んでいるのも、まさにアメリカの凋落をわかりやすく示していると言えるだろう。

一方、ＥＵ諸国も脱アメリカの姿勢を明確に打ち出している。

たとえば､ウクライナ紛争後のＥＵの対ロ制裁は､アメリカに無理やり付き合わされてやっていただけで､ＥＵ諸国自身はあまり乗り気ではなかった。なぜならロシアはＥＵ諸国にとって最大の通商・貿易国のひとつであり、ロシアとの経済活動が停滞することは、イコール自国の経済活動の停滞も意味しているからだ。事実、アメリカ・ＥＵからの経済制裁に対抗して、ロシアが米・ＥＵからの農産物や食料品の輸入禁止措置を打ち出すと、大口の輸出先を失ってＥＵ諸国の農家は大打撃を受けた。このうえ、仮にロシアからウクライナ経由の天然ガスの供給ラインが止められるような事態になれば、ＥＵの経済は大混乱に陥るのは目に見えていた。それゆえ、ＥＵ諸国の首脳たちは次第に対ロ経済制裁の緩和や解除を訴えた。その筆頭が、低迷するＥＵの中で唯一気を吐いているドイツのメルケル首相だった。

メルケルは、表向きはアメリカの対ロ制裁に協調する姿勢を見せながら、裏ではプーチンと頻繁に電話会談などを行い、「経済制裁を解除するべきだ」「ウクライナ東部への軍事攻撃は即中止するべきだ」などアメリカの対ロ政策を批判するような発言を繰り返してきた。私が見るかぎり、メルケルははっきりと明言はしていないものの、アメリカ＆ＮＡＴＯ体制から距離をおき、ロシアや中国を重視した政治行動をとっている。つまり、「脱アメリカ・脱ＮＡＴＯ」「親ユーラシア」に向かって動いているのだ。

中心国のひとつであるドイツが抜ければ、間違いなくＮＡＴＯ体制は崩壊するだろう。また、経済的に低迷するほかのＥＵ諸国を見限り、ドイツがユーロ圏を離脱する可能性も考えられる。

トランプがアメリカ大統領となり、ＮＡＴＯ体制における防衛費負担額の不均等、つまりアメリカに過度な負担がかかっていることを理由に、欧州各国に不満をぶちまけ、「防衛費負担を上げなければ、ＮＡＴＯに対する米国の立場を変えるぞ」と脅迫めいた発言を繰り返すにおよび、欧州諸国はＮＡＴＯ体制からの離脱に向けて本格的な動きを見せている。

それが、フランスのマクロンが旗を振り、18年に動き出した「欧州介入イニシアチブ（ＥＩ２）」である。これは、欧州周辺の危機に迅速かつ協調して対応・介入するため、参加国間での防衛協力を強化する目的の組織で、ＮＡＴＯやＥＵの枠組みを超えて整備が進められている。18年の創設時には、参加国はフランスをはじめ、ベルギー、デンマーク、エストニア、ドイツ、オランダ、ポルトガル、スペイン、イギリスの９ヵ国だったが、現在（20年時点）ではさらにスウェーデン、フィンランド、ノルウェー、イタリア、ルーマニアが加わり、14ヵ国の枠組みとなっている。このイニシアチブを主導するマクロンは、将来的な「真の欧州軍」の創設も目指しているそうだ。

ＥＵにおいては、加盟国のうち意志と能力のある国が共通の安全保障・防衛のために軍事協力を進めることができる「ＰＥＳＣＯ（常設構造協力）」の計画が、17年から進められている。これも、ＮＡＴＯとは異なる、ヨーロッパ独自の安全保障体制の構築を目指すものだ。

さらに、ヨーロッパのアメリカ離れを象徴する出来事が、16年に設立されたアジアインフラ投資銀行（ＡＩＩＢ）への参加問題だ。中国が主導する同投資銀行に、中国、インド、ロシアのみならず、イギリス、ドイツ、フランス、イタリア、オーストラリア、韓国、イスラエルなどの親米国家が続々と参加表明したことは、アメリカにとって大きな衝撃だっただろう。参加国はその後、アフリカや南米にも広がり、19年時点で加盟を承認された国や地域は１００に到達。いまだアメリカと日本は参加表明していないＡＩＩＢであるが、今後の世界情勢を左右しかねないひとつの鍵になるはずだ。

以上のような世界の支配体制の地殻変動が、ウクライナ危機以降、目まぐるしいスピードで起こっている。

バラバラになりはじめているアメリカ・ヨーロッパのＮＡＴＯ体制とは対照的に、結束を強めているのがアジアであり、ユーラシアだ。

２０１５年12月には、ＡＳＥＡＮ（東南アジア諸国連合）の10カ国による経済共同体「ＡＳＥＡＮ経済共同体」が発足した。これは6億人規模の巨大市場となる。

ＡＳＥＡＮ10ヵ国および中国、韓国、日本、オーストラリア、ニュージランド、インドという東アジアとオセアニア地域の広域経済圏の実現を目指す「東アジア地域包括的経済連携（ＲＣＥＰ）」も13年から交渉が進められ、途中インドの交渉離脱があったものの、20年中には参加15ヵ国で署名が行われる目途が立っている。

また、ロシア、中国、インドもBRICSを通じて、結びつきを強めている。このユーラシア勢力が、世界中に広まっていけば、まさに〝世界国家〟の様相を呈することになるだろう。

私はその可能性は十分にありうると考えている。BRICSに共通する理念は「対アメリカ」「対ヨーロッパ」である。その理念は、いまだ反米的な指導者が多い南米の各国で支持されるだろうし、中東やアフリカでも支持されるだろう。つまり、ユーラシア＋BRICSに非同盟諸国が加わり、かつてないほど巨大な一大政治勢力が構築されつつあるのだ。それはまさに私が思い描く、ユーラシアアライアンスからの世界統一機構という流れに合致している。

トリウム原子炉の実用化で、エネルギー改革を

ユーラシアアライアンス、もしくはその先の世界統一機構が設立された暁には、石油などの化石燃料の使用規制を目指すべきであることはすでに書いた。と同時に行わなければならないのが、代替エネルギーの開発と普及である。化石燃料の使用規制と代替エネルギーの開発・普及は、いわばコインの裏表のような関係であり、ひとまとめにして進めていく必要がある。

代替エネルギーとして、現在「太陽光」「風力」「地熱」「バイオマス」などに期待が寄せられているが、化石燃料の代替としてはやはり物足りない。では、原子力発電はどうかといえば、現在世界の原子力発電の大半を占めている濃縮ウランを燃料とする軽水炉はリスクが極めて高い発電方法であることが、東日本大震災で証明された。使用済み核燃料の処理の問題も深刻だ。

となると、結局、安全性や効率の面で化石燃料がもっとも優れているのか。いや、そうで

はない。実はもっと優れたエネルギーは存在している。それは、地球環境に負荷を与えることはほとんどないし、高い安全性も備えている。技術的にもすでに完成している。そんな理想的ともいえるエネルギーが「トリウム原子炉」だ。

世界統一機構を設立したら、世界の発電所をトリウム原子炉に変えていく。これが私の次世代エネルギー構想である。

きっと多くの人が、「トリウム」という元素について、その名前すら聞いたことがないのではないか。そんな理想的なエネルギーがあるのなら、なぜさっさと実用化して普及させないのかと訝る人もいるだろう。

そこでまずはトリウム原子炉について解説しよう。

そもそもトリウム原子炉は、１９６０年代の米国エネルギー省のオークリッジ国立研究所においてすでに研究がはじまり、実験炉の建設にも成功している。日本でも京都大学などが研究を続けてきた。

トリウム原子炉の利点は、まず燃料であるトリウムの性質にある。その特徴をひと言でいえば、埋蔵量が多く、廃棄物が少ない、ということになる。

トリウムは、レアアースを採掘するときに出る廃棄物に多く含まれている。つまり、レアアースの採掘が続くかぎり、毎年膨大な量のトリウムを入手できるのだ。この点が、既存の軽水炉の燃料となるウランと大きく異なる（ウランは自然界にほとんど存在しない）。

また、トリウムを原子炉で燃やしてもプルトニウムになることはほとんどなく、むしろ着火剤としてプルトニウムを使用するため、現在世界に貯まりに貯まっている使用済み核燃料に含まれるプルトニウムを消費できる。さらに高レベル放射性廃棄物の主因となる長寿命の超ウラン元素の発生量が少なく、環境リスクも低い。

利点はほかにもある。それはトリウムを燃やす炉に関係する。

トリウムは、既存の「軽水炉」でも燃やすことができるため、現在運転・停止している原子炉を改良して活用することができる。このことは特に日本にとって大きな希望となる。

11年3月の東日本大震災時点で日本には54基の原子炉があったが、震災後はいったんすべての原子炉が運転を停止し、現在（20年時点）になってもわずか数基が再稼働しているに過ぎない。いくつかの原子炉は廃炉が決まっている。福島の事故を省みれば、安易な再稼働はできない。とはいえ、原発から完全撤退して、すべての原子炉を廃炉にするとなれば、膨大な廃棄物が発生するし、その処理場の目途もたっていない。廃炉のための費用も相当なものだろう。日本の原子力エネルギー行政は進退窮まっている状況なのだ。だが、トリウム発電が実用化できれば、第三の選択肢——トリウム燃料による原子力発電の継続——が生まれることになる。

ただ、トリウム軽水炉での発電はあくまで過渡期的なものとして考え、最終的にはトリウム専用の炉である「溶融塩炉」に移行すべきであろう。溶融塩炉とは、高温で溶かした塩にトリウムとプルトニウムを混ぜた液体燃料を用いる原子炉で、その特徴は何といっても安全性の高さにある。

まず、軽水炉に比べて装置内の圧力が格段に低いため、安全に運用しやすいという利点がある。また、燃料棒を使用しないため、炉心溶融（メルトダウン）が起こりにくい構造となっている。改善すべき点もあり、たとえば溶融塩による炉内部の腐食の怖れがあることや、トリウムを利用した際に発生する強いガンマ線をいかに遮蔽するかという課題がある。ただ、現代においてはこうした問題を解決するための技術は十分に揃っている。

福島原発の事故によって、世界中の人々は「原子力発電＝リスクが高い」という印象を植え付けられた。だが、トリウム原子炉はその限りではない。

以上のようなトリウム原子炉の利点を知れば知るほど、「すばらしいエネルギーなのに、なぜ半世紀も放っておかれたまま、実用化されていないのか？」と疑問に思うだろう。

その理由は、60年代当時すでにウラン軽水炉の実用化がされていたことや、溶融塩炉の技術的な課題を克服できなかったことなどが挙げられるが、やはり最大の要因は「核兵器に向かない」ことにあったと思う。

ウラン軽水炉の場合、燃料には核分裂しやすい濃縮ウランを使用し、燃やしたあとにはプルトニウムを含む使用済み核燃料が発生する。この濃縮ウランンやプルトニウムが核兵器にも転用できるため、各国はエネルギー戦略というより軍事戦略の一環としてウラン軽水炉を推進したのだ。かたやトリウム原子炉の場合、トリウムそのものは核兵器に転用できないし、プルトニウムも発生しない。これが大問題だったのだ。

60年代は冷戦の真っ只中。核兵器が自国を守り、戦争を抑止する最大の武器だと考えられていた時代だ。ウラン軽水炉が普及すれば、濃縮ウランやプルトニウムを大量に所持しておくことができ、そしていざというときにはそれらを使って核兵器を製造できる。しかし、トリウム原子炉が実用化して普及してしまったら、「原子力発電のため」という名目で濃縮ウランやプルトニウムを所持することができなくなり、そうした軍事戦略が成り立たなくなってしまう。だから、トリウム原子炉は実験炉まで成功していながら、その先の実用化まで研究・開発が進まなかったのだ。

また、アメリカにおいて国際石油資本が大きな影響力を持っていることはすでに述べた。安全で効率的な原子力発電が普及すれば、火力発電で使用する石油が売れなくなるのは明らかだ。そのため、国際石油資本が政治に圧力をかけて、原子力発電の推進を力づくで押さえていたという面もある。

トリウム原子炉は、人類の平和と安全、エネルギー問題の解決という多方面に及ぶ可能性を持ちながら、それらとはまったく逆行する軍や軍需産業、国際石油資本の軍事的・経済的意図によって潰されたといっても過言ではないのだ。こんな暴挙は絶対に許されるべきではない。

とはいえ、東日本大震災における福島での事故を目の当たりにして、世界中でトリウム溶融塩炉に対する注目が再び高まっており、実際にアメリカ、カナダ、中国、イギリス、オランダなどの研究機関やベンチャー企業が実用化に向けて急ピッチで研究開発を進めている。日本でも80～90年代にトリウム溶融塩炉の研究が進み、その後は一時下火となるが、福島の事故以降、再びその研究に力を注ぐ企業や組織が現れている。トリウム原子炉が実用化されて普及すれば、軍縮にもつながるし、環境汚染も軽減する。こんな理想的なエネルギーはほかにない。ゆえに、私はトリウム原子炉を推進させたいのだ。

ちなみに、私とトリウム原子炉との間には不思議な縁がある。

私がトリウム原子炉の存在を知ったのは、アメリカのフェルミ国立加速器研究所の研究員で、トリウム原子炉研究の第一人者である葉恭平（G．P．Yeh）という男がきっかけだった。その葉とは、実は古くからの知り合いでもあるのだ。

葉は、台湾出身で、もともと貧乏なお茶農家の息子だった。しかし、彼の兄が一旗揚げようと70年代はじめに返還されたばかりの沖縄に来たことで、葉の人生も変わる。

葉の兄は台湾の実家で作った烏龍茶を沖縄で販売し、ひと財産を築く。葉はその兄を頼って、小学生のときに沖縄へ。そして、米軍基地内の学校へ入学し、そこで隠れていた才能を発揮して、小中高とずっとトップクラスの成績をおさめることになる。その後、奨学金をもらってＭＩＴに留学。そこでも才能を評価されて、卒業後は国の研究所に入り、エネルギー研究の中心人物となっていったのだ。

私ははじめ、葉の兄と知り合いになった。彼が沖縄で烏龍茶販売の会社を経営していたのと同じ時期、私も沖縄で会社を4、5社経営していた。その中には金融系の会社もあり、あるときその会社に3億円の融資依頼をしてきたのが、葉の兄だったのだ。彼は事業を拡大するために、烏龍茶だけではなく、沖縄の温暖な気候を生かしてウナギの養殖もやりたいと狙っていた。彼の事業計画に賛同した私は、希望通り3億円を融資してやり、さらにうちの会社の経理課長をしていた小峰という女性（のちに彼女は葉の兄と結婚する）を事業監督する目的で彼の会社に派遣した。葉の兄はその後、養殖事業もどんどん拡大させて、中国の汕頭に大規模な養殖場を作り、そこのオーナーとなった。

葉の兄との関係はその後も公私にわたっていたが、あるとき、彼が私に「弟が、アメリカの研究所の責任者として、筑波大学に来るから、あなたに会わせたい」と持ちかけてきた。聞けば、筑波大学でトリスタン計画なるプロジェクトを進めており、葉はその開発指導者として来日するという。そこで私は初めて葉と出会い、さまざまな話をする中でトリウム原子炉のことも出てきたというわけだ。

資源枯渇のリスクや化石燃料の過剰使用による環境破壊に直面し、人類の生存が危ぶまれている現在、軍事的、経済的、政治的な意図によってトリウム原子炉が黙殺されつづけるのは、我々にとって不幸以外の何ものでもない。エネルギー改革は人類全体の危急の課題である。今こそトリウム原子炉という新しいエネルギーの可能性に本気で取り組まなければならない。

ミレニアムプロジェクトを再開し、世界を平和に

80年代、私が一橋大学の中川學やMITと組んで行っていたミレニアム委員会のミレニアムプロジェクトには、「ジブラルタル海峡のトンネル計画」、「クラ地峡の運河計画」、「ニカラグアの運河計画」の「世界三大計画」のほか、「宇宙発電所」（宇宙空間で太陽光を利用して発電し、地球へ電波送電する発電方法）、「世界一周道路」などさまざまなプランが話し合われていた。これらのプランは、千年後も残るような壮大なインフラを開発・建設して、今生きている人々だけではなく、未来の人類の生存や発展にも寄与しようと考え出されたものだ。

もしユーラシアアライアンスや世界統一機構が設立された暁には、これらのプロジェクトをぜひとも再開させたいと考えている。

なかでも、私がもっとも力を入れたいのが、「世界一周道路」だ。

80年代に私が中心となって推進した「ニカラグア運河」や、「ジブラルタル海峡のトンネル計画」、「クラ地峡の運河計画」も惹かれるのだが、それらは特定の地域におけるインフラで

ある。世界統一機構の名の下に進めるのなら、やはり世界規模の最大級のプロジェクトに取り組みたいと思っている。

「世界一周道路」とは、その名の通り、世界をぐるりと回る長大な道路のことだ。出発点を南アフリカのケープタウンとすれば、そこからアフリカを縦断して、エジプトからシナイ半島を抜け、シリアやイラクを通り、シルクロードを伝って中国へ。さらに中国を北上してシベリアを通り、ベーリング海を渡ってアラスカに入る。アラスカからはカナダ、アメリカ、メキシコ、グアテマラ、ニカラグア、コスタリカ、パナマを通り、コロンビアへ。そこから南米を南下して、エクアドル、ペルー、ボリビア、チリ、アルゼンチンへ。これで世界一周が完成となる。

このルートはあくまで一例で、ほかの国を通る可能性もある。また、メインルートは右のようなルートとして、派生ルートとしてヨーロッパやインド、アメリカ東海岸へ向かうルートがあってもいいだろう。各地にはすでに既存の道路があるので、その道路を使ったり、既存の道路同士を新たな道路を建設してつなげたりして、一本の道路で世界中を結ぶ。これが私のイメージする世界一周道路である。具体的な予算は別途計算する必要があるが、だいたい500兆円ぐらいあれば実現できると考えている。

では、そんな莫大な金をどう集めるか。

80年代のニカラグア運河のときは、国際運河開発公団を設立して建設債券を発行し、世界中から建設資金を集めようと試みた。

世界一周道路については、建設資金として各国の軍事費をあてたらどうかと考えている。世界の国々では、毎年膨大な金を軍事費や戦争に関わる調査や研究に費やしている。スウェーデンのシンクタンク「ストックホルム国際平和研究所（ＳＩＰＲＩ）」が20年に公表した前年（19年）の世界の軍事費ランキングによると、

1位　アメリカ　７３１８億ドル（世界全体の軍事費の４割近く）
2位　中国　２６１１億ドル
3位　インド　７１１億ドル
4位　ロシア　６５１億ドル
5位　サウジアラビア　６１９億ドル

というベスト5となり、以下フランス、ドイツ、イギリス、日本、韓国などが続く。19年

の世界全体の軍事費は1兆9072億ドルで、日本円にして100兆円を超える。

軍事費は、要するに戦争をするための金である。自国の防衛のため、世界秩序を乱す独裁者を倒すため、軍事的な均衡を保つため……などそれらしい理由は挙げられているが、そんなものは言い訳に過ぎない。人類は100兆円以上の金をかけて、戦争のための準備をしているのだ。

では、戦争が起これば、どうなるか。簡単だ。大勢の人が死に、土地は荒れ果てる。人が住むための建造物も、貴重な自然遺産や文化遺産も、ことごとく破壊される。戦争は、その当時国から何もかもを奪い去る、非道極まりない行為なのだ。さらに、ひとつの戦争がきっかけとなって、その報復として次の戦争が生まれる。憎しみと暴力が増大し続ける、終わりのない負の連鎖に陥ってしまう。戦争によって、特定の国の特定の企業は利益を上げることができるかもしれない。しかし、人類全体として見れば、とんでもない損失を出していることがわかる。今の国家は、国民から集めた大事な金を、そんな不毛な行為に使っているのだ。こんな馬鹿げた話はない。

どうせ膨大な金を使うなら、人を殺すために使うのではなく、人類全体の生存や発展のために使うべきではないか。だから、私はミレニアムプロジェクトを推進して、そこに軍事費をつぎ込めと提案している。

それに軍事費がプロジェクトの予算にまわされれば、兵器の研究・開発をしたり、軍艦や戦闘機を買ったりする金がなくなるため、戦争ができなくなり、世界は平和に近づく。つまり、ミレニアムプロジェクトは戦争を抑制し、軍縮につながる「平和プロジェクト」でもあるのだ。軍縮や核兵器の廃絶は、70年代に私が中心となって設立した非核諸国同盟会議以来の宿願でもある。

また、地球規模のプロジェクトともなれば、単一の国や地域では実現することはできず、全世界的な協力体制を築かなければならない。つまり、プロジェクトを実現していく過程で、人類の結束は一層強まり、世界統一機構のまとまりはより強固なものになっていく利点もある。

一方で、人間の欲望は油断ならないものなので、世界的な大規模プロジェクトが動き出した場合、その利権を狙った争いが起こる可能性も十分に考えられる。そうした利権争いは、世界憲法によってしっかりと規制していかなければならないだろう。

新しい世界に向けて、日本がすべきこと【1】
〜脱アメリカ　親ユーラシアの外交を〜

ユーラシアアライアンスを中心とした新しい世界秩序の構築を進めていく過程で、日本はどう動けばいいのか。

大前提として、日本はアメリカの属国としての立場を離れて、アジア諸国やロシアとの関係を強化して、ユーラシアアライアンスの一員とならなければならない。つまり、「脱アメリカ　親ユーラシア」だ。これは日本の地政学的な立場を考えれば、必然である。

地理的に見ると、日本とアメリカの間には太平洋という広大な海が横たわっている。かたや、ユーラシア大陸と日本を隔てるのは、日本海という小さな海だけ。日本はユーラシア大陸の一部であるといっても過言でない。遠く離れたアメリカより、日本海を挟んで隣り合うユーラシアの国々とのつながりを深めていったほうが、政治的にも経済的にも有利に働くのは明白である。

太平洋戦争での敗戦、そして戦後のGHQによる占領や日米安全保障条約によって、日本は長らくアメリカの支配下に置かれてきた。アメリカはいかにも日本の庇護者であり、強い信頼関係で結ばれた同盟者のような顔をしているが、実際はそうではない。日本は〝同盟国〟という名の〝対中・対ロ（かつては対ソ）の前線基地〟とされ、有事の際には日本の国土が戦場または防波堤扱いされることは間違いない。日本の親アメリカ外交は、一見日本の国益に適っているように見えて、実はその真逆。いざというときには日本を危機的状況に陥れる可能性があるのだ。

多くの日本人、特に政治家たちは「日本はアメリカなしではやっていけない」、「アメリカとの外交はもっとも重要な政治的な課題だ」と思いこんでいる。しかし、そんな親アメリカ的な考え方は、アメリカによってコントロールされた戦後教育のせいであり、事実はまったく異なる。

日本はアメリカなしでも十分にやっていけるし、アメリカよりもユーラシアの国々との政治的、経済的な結びつきを強めたほうが、ユーラシア中心の新しい世界秩序の中において自国の国益に適っている。

にもかかわらず、その重大な事実に気付いている政治家は、今の日本にはほとんどいない。

そのことは、15年5月ロシアで開催された「対ドイツ戦勝70周年式典」を見ても明らかだ。同式典には世界各国の首脳が招待されており、その中に日本の安倍晋三も含まれていた。しかし、安倍は、アメリカやヨーロッパの首脳とともに式典を欠席。ロシアとの政治的距離を一気に縮め、ユーラシア勢力の一員となる絶好の機会を自ら放棄するという愚かな選択をした。

式典に伴う軍事パレードでは、ロシアのプーチンと中国の習近平が隣り合って座り、両国の蜜月ぶりを世界中にアピールしていた。さらに式典前日には首脳会談を行い、ロシアが主導する「ユーラシア経済同盟」と、中国の「一帯一路」構想を連携して進めることでも一致するなど、この式典を機に両国の結びつきはさらに強化された印象だ。

また、欧州諸国は、アメリカの顔色をうかがって表向きは足並みをそろえたものの、フランスはファビウス外相が式典に参加。ドイツもシュタインマイヤー外相がかつての戦地を訪れて両国の戦死者を追悼するとともに、ロシアのラブロフ外相と会談。メルケル独首相も式典は欠席したものの、翌日にプーチンとモスクワの無名戦士の墓を訪問するなど、アメリカに対して面従腹背の巧みな外交を見せていた。

そうした欧州諸国のしたたかな「脱アメリカ　親ユーラシア」の動きを見るにつけ、ただただアメリカに従うのみでほかの手を一切打っていなかった日本は、まったく外交戦略のない国だと呆れるばかりだ。

しかし、「脱アメリカ　親ユーラシア」という大胆な外交方針の転換は、今の日本の政治家にはできない可能性が高い。というのも、彼らのほとんどがアメリカによって洗脳されており、その言動には常にアメリカへの過剰な配慮が見て取れるからだ。そうした態度は、国を背負う政治家としてのプライドは微塵もなく、アメリカに尻尾を振る飼い犬状態。傍から見ていて、腹立たしさを通り越して、嘆かわしさしかない。

さらに、日本人に擦り込まれた「アメリカには逆らえない」という先入観を利用して、金儲けをしようとする悪徳町人政治家も多い。彼らにとっては、日本の体制や国民の意識がアメリカ寄りになっている方が何かと好都合なので、わざわざ「脱アメリカ」を進めようとはしないはずだ。

沖縄の基地問題などはその顕著な例だ。

辺野古への基地移設を巡って、国、沖縄県、沖縄県民が争っている様子が、新聞やテレビなどでよく報道されている。そうした報道から、多くの日本人は「基地移設は、アメリカの意向が前提としてあり、アメリカに強くいえない日本政府と、基地移設に反対する県民が対立している」という構図を見ているかもしれない。しかし、実際には、アメリカが「普天間基地を移設してくれ」と日本に要求したことは一度もないし、さらに「移設先として辺野古が適地である」と指示したこともない。

そもそも基地移設の話が持ち上がったのは、橋本龍太郎政権のとき。橋本がクリントン大統領との日米首脳会談で普天間基地の返還の要求し、その後日本からアメリカへ辺野古への施設移転を提案したのだ。

つまり、普天間基地の移設も、移設先として辺野古が挙がっているのも、アメリカの要求ではなく、日本の提案から始まっていることなのである。アメリカとしては、現状の基地機能さえ維持できれば、普天間だろうが、辺野古だろうが、どこでもいいというスタンスなのだ。

では、なぜ日本政府は、地元住民の強固な反対運動や、基地建設に適さない脆弱な地盤の問題などがありながらも、辺野古への基地移設を押し進めているのか。そこには例によって利権が絡んでいる。辺野古へ新しい基地を作るとなれば、海を埋め立てるための土砂や石などが必要となる。沖縄の基地移設が検討されるようになると、小沢一郎、野中広務、鈴木宗男らは辺野古周辺の土地を相次いで購入。その土地で産出した土砂や石を基地建設のための資材として売って、一儲けしようと企んだのだ。こうした日本の政治家たちの意向によって、

「移転先は辺野古でなければならない」というのが日本政府の方針となったわけだ。

民主党が政権を取り、鳩山由紀夫が首相となった際、一度辺野古案が放棄されたのも、鳩山が前述した辺野古利権に絡んでいなかったからだ。地元住民の強い反対があり、アメリカは移設先はどこでも構わないと言っている。ならば、まともな感性のある政治家ならば、辺野古以外を検討するのは当然である。だから鳩山は、岩国基地案やキャンプハンセン案をアメリカに提案した。アメリカもそうした代替案について、否定的な態度は取っていなかった。だが、その後鳩山が政治献金問題で辞職すると、再び辺野古派が台頭するようになり、移設先は「やはり辺野古しかない」ということになったのだ。

何も知らない日本国民の多くは、沖縄の基地問題は日本とアメリカとの国家間の問題だと思っているかもしれない。しかし現実は、日本の政治家たちがアメリカの威を借りながら勝手に騒いで、利権を作って金儲けをしようと企んでいるだけのこと。こんなところにも、親アメリカ政治の悪弊が現れている。

日本はいい加減こうした利権政治から卒業して、国家戦略に基づいた真の政治をやらなければならない。そして、その基本となる方針が「脱アメリカ　親ユーラシア」である。

戦後半世紀以上にわたって日本は政治的にも経済的にもアメリカに依存し続けてきた。その結果、日本人には何事もアメリカ寄りに考えてしまう性質が深く刻まれている。その性質はまさに属国奴隷根性といえるものであり、アメリカの狙い通りでもある。

根深く刻まれた親アメリカ的な発想や態度から脱するのは困難かもしれないが、やらなければならない。そして、アメリカ依存から脱却しながら、アジアやロシアに近づいていく。ロシアや中国、インドなどと組んで、日米安保に代わる新たな安全保障体制、日本が中心国の一角を担うようなユーラシア条約機構を構築しなければならないのだ。

世界は、太平洋・大西洋の時代からユーラシアの時代へと急速に動いている。世界の潮流が大きく変動しているこのときに、日本人も乗り遅れてはいけない。従来通りの「親アメリカ」体制のままでは、日本は滅びてしまう。その意味で日本は今、国家的な非常事態の最中にあるといえる。生き延びるための国家戦略を描き、日本は「親ユーロシア」へと舵を切らなければならない。「親ユーラシア」を柱に安全保障、外交、経済の政策を構築していかなければ、日本の未来は拓けないと私は思っている。

日中関係の壁をいかに乗り越えるか

日本がユーラシア勢力の一員となるには、日本国内の政治的な課題もあるが、一方で対外的な課題もある。日中関係はそのひとつだ。

日本がいくらユーラシア勢力に近づこうとしても、その一角を担う中国が反日姿勢を緩めないかぎり、日本が受け入れられることは現実的に難しいだろう。中国との関係をいかに再構築するか。これは極めて重要な問題である。

10年代前半から中頃、日中関係がもっとも冷え切っていた時期には、中国は何かにつけて日本を批判し、国際社会における日本の地位を貶めようとしていた。特に尖閣諸島問題では、軍事的衝突の緊張が高まっていた。

戦後の日中関係を振り返ると、中国が反日姿勢を強めているのは、１９９０年代に入ってからである。それ以前は１９７２年の日中国交正常化からずっと良好な関係を続けてきた。特に鄧小平時代に中国が改革開放路線に転換してからは、日本はＯＤＡを通じて大規模な援助を行い、中国の近代化や経済発展に多大な寄与をしたし、中国側も日本を信頼してその支援を頼りにしていた。

しかし、90年代半ば以降、歴史教科書記述問題や靖国神社参拝問題などによって日中関係は雲行きが怪しくなり、さらに尖閣諸島問題の再燃によって関係は一気に冷え込んだ。

表向きは、右に挙げたいくつかの問題が、両国の関係悪化の原因のように見える。しかし、歴史教科書や靖国神社参拝、尖閣諸島のことは、日中関係が良好な時代からすでにあった。たとえば尖閣諸島についていえば、70年代後半に中国漁船が海上保安庁の退去命令を無視して領海侵犯を繰り返すなどのトラブルはすでに起きていたが、日中平和友好条約の調印前に鄧小平が「再びこのような事件を起こすことはない」と約束するなど、日中間ですでに片がついていたのだ。

ではなぜ、かつては問題視されなかったこと、あるいは解決済みのことが、あらためて問題視されるようになったのか。その背後には、明らかに中国側の政治的な意図がある。

90年代半ば以降、中国の経済成長は年々加速して、現在ではGDPで日本を抜き、世界第二位の経済大国となった。その経済力を武器に中国は世界各国に進出、国際社会への影響力を強大化させている。かたや日本は、90年代にバブル景気が崩壊して以降、長い不況にあえいでいる。また、日本国内をまとめ、世界の国々と渡り合えるような優秀な政治家がいないため、内政や外交の空洞化がますます深刻化し、国際社会における日本の存在感や発言力は衰退の一途をたどっている。

強大化する中国は、日本が弱体化するのを見て、アジアにおける覇権を確立すべく、かつての恩を仇で返すように日本に対しての攻撃を始めたのだ。

つまり、日中関係の悪化の真の原因は、中国の覇権への野望と日本の弱体化にあり、靖国神社参拝問題や尖閣諸島問題はその原因から表出した個々の現象に過ぎないわけだ。

ただ、18年の春ごろから、日中関係は突如として好転しはじめる。5月の安倍晋三と習近平の初の日中首脳電話会談を皮切りに、同月の李克強の訪日、10月の安倍の訪中と続いた。多国間会議を除いて、日本の首相が中国を訪れるのは約7年ぶりだった。19年には、6月にG20大阪サミットに参加するために習近平が訪日、12月に日中韓サミットのために安倍が訪中し、同時期に日中首脳会談も行っている。

こうした日中関係改善の動きに対して、日本のマスコミは安倍の外交手腕を高く評価するような記事を書いていたが、それは違う。日中関係改善の背後にあったのも、やはり中国の政治的な思惑だ。

18年といえば、米中貿易摩擦が過熱した年である。つまり、中国は、対米関係が悪化するなかで、もともとアメリカとべったりな日本を少しでも自分たちの側に引き寄せておくために日本に近づいていたに過ぎないのだ。

それは日中首脳会談のときの習近平の表情を見れば、わかる。習近平は、ロシアのプーチンやインドのモディ首相と会談するときは、まるで親友同士のように互いにニコニコして笑い合っている。その笑顔は、心から出ているものだと思う。一方、安倍と一緒のときは、まったく笑顔がないか、笑っていたとしても明らかな作り笑顔であった。むしろ安倍を見下し、嫌悪感さえ抱いているように、私には見えた。習近平は、安倍という政治家に対して、好意もなければ、興味もない。アメリカのトランプに尻尾を振るだけ、世界の国々に金をばら撒くだけの金づるだと思っていた。米中関係が苦しいので、国家戦略の一環として付き合っているだけ。だから、会談でも金の話しかしていなかったのだ。

その程度の付き合いである以上、日本と中国は友好・協力関係を築けているとはとても言えない。

今、日本がやるべきは、米中貿易摩擦のために中国が日本に近づいてきている現状を最大限に生かし、中国との真の友好関係を築くことだ。と同時に、ロシアやインドなど中国以外のユーラシア諸国との関係性も強化していく。ユーラシア勢力の中での発言力や存在感を強めていけば、中国も日本を認めざるを得なくなるはずだ。

もちろん、日本が露骨に中国やロシア、インドに近づけば、アメリカは嫌な顔をするだろうし、何らかの圧力をかけてくるかもしれない。それを防ぐために、表向きはアメリカに尻尾を振っておくことも必要だろう。

そうしたしたたかな外交戦略があればこそ、日中関係を再構築して、ユーラシア勢力の一員になることができるのだ。

新しい世界に向けて、日本がすべきこと【2】
～汚職の追放による政治改革～

もうひとつ、日本が必ず成し遂げなければならないのが、金権腐敗政治からの脱却である。これまで私はさまざまなところで「日本の政界は汚職天国である」と訴えてきた。

汚職の構造はこうだ。企業から政治家へ金が流れる。金を受け取った政治家は、金を出してくれた企業に有利な政策を行う。その政策によって企業は利益を上げて、その一部を政治家に提供することで政治家の懐も潤う。戦後から現在に至るまで、日本の政治家たちはこうした金権政治をずっと行ってきた。

そこには国や世界のことを真剣に思う気持ちもなければ、日本がいかに世界と対峙していくかという国家戦略もない。あるのは自分の金儲けのことだけだ。

戦後日本の政界において、もっとも強大な権力を握った金権政治家は田中角栄である。彼は議員立法によって道路、港湾、空港などの整備を行う各々の特別会計法などを成立させて、国の予算で日本中のインフラ整備を推進。それぞれのゼネコンに工事を発注する代わりに建設費用の数%を上納させるなど無茶苦茶な利権政治を行った。そのほかの政治家たちも、田中角栄ほどではないにしても、医療業界、パチンコ業界、エネルギー業界などとそれぞれに癒着して、政治を利用した金儲けを行ってきた。

こんな金権政治を続けているかぎり、日本が私の提唱する世界プロジェクトに参加することは絶対にありえない。つまり、日本は世界から取り残され、相手にされなくなるということだ。

新しい世界秩序に向けて役割を果たすには、日本は汚職政治家を徹底的に追放して、国家や世界のために働ける真の政治家を育成しなければならない。

日本が汚職天国になっている原因は、政治家一人ひとりの資質の問題もさることながら、企業や団体からの献金を合法化している点にある。

汚職防止という名目で、一応は「企業・団体から政治家個人への献金は禁止（政党へは可）」、「献金額の上限は、資本金などに応じて750万円〜1億円」などの規制はある。しかし、抜け道はいくらでもある。表向きは政党に献金するという合法的方法を取りながら、裏では政党を経由して政治家個人へ莫大な金が流れて、政治家と企業の癒着を生むことは日常茶飯事。

対政党といえども企業献金を認めているかぎり、贈収賄はなくならないのだ。

汚職をなくすには、フランスやカナダのように企業献金を全面的に禁止しないといけない。そうすれば、企業から政治家個人への金の流れを完全に断つことができて、汚職もなくなるはずだ。

たしかに政治には金がかかる。それゆえ、企業からの献金も必要悪だという人もいる。しかし、その論は詭弁に過ぎない。

政治に必要な金の問題を解決するために、日本には政党交付金の制度がある。政党交付金は、政党が特定の企業や労働組合、団体などから政治献金を受けることを制限する代わりに、税金で政党や所属政治家の活動を支援し、政党や政治家の独立性を保つための仕組みだ。その範囲内で政治活動をすればいいだけの話だし、もし足りなければ交付金にあてる税金を増やしてもいいかどうか国会で審議すればいい。

また、個人献金もある。個人献金とは、いうなれば個人の善意による寄付みたいなもので、もともと寄付の文化のあるアメリカなどでは企業献金よりも個人献金の方が主流であり、それによって献金の健全性が保たれている面がある。日本で個人が政治家へ献金する場合は、政治家が指定する資金管理団体や後援会などの政治団体に献金することになる。

このように政治家が自らの活動資金を得るための方法は、企業献金以外にもしっかりと制度化されている。

にもかかわらず、企業献金をなくさないのは、企業との癒着によって甘い汁を吸いたいという下心が政治家の側にあるからに他ならない。また企業の側にとっても、政党に金を出すことで、公共事業の仕事を優先的に発注してもらったり、自社の製品を政府や官庁で使ってもらったりというメリットがあるならば、積極的に献金をしようとなるのは当然だ。

いくら政党への献金が合法だといえども、その見返りとして何らかのメリットを得たいという動機があれば、それは贈賄罪であり、受け取った政治家は収賄罪に問われるべきである。

20年、カジノを含む統合型リゾート事業を巡る汚職事件で、ＩＲ担当の内閣府副大臣であった秋元司が逮捕・起訴された。ＩＲに絡む中国企業から現金など合計７６０万円を賄賂として受け取った容疑である。中国企業は、秋元以外にも５人の議員に１００万円ずつ渡したと供述しているが、東京地検特捜部は過去の事件に比べて額が少ないことを考慮して、５議員の立件を見送った。

表向きは収賄罪で起訴されたのは秋元ひとりだが、このＩＲ関連の汚職にはもっと多くの政治家が関わっていると、私は見ている。文部科学大臣の萩生田光一もマカオで接待を受けたと言われているし、大阪の吉村洋文知事、松井一郎市長もプライベートジェットで羽田空港からマカオに飛んで、やはり接待を受けている。秋元の背後には、当時の官房長官であった菅義偉もいるのではないか。また、すでに日本のＩＲレースからの撤退を表明しているが、ラスベガス・サンズのシェルドン・アデルソン会長がトランプ米国大統領の大口の献金者であることを考えれば、「サンズ＝トランプ＝安倍（首相・当時）」というネットワークのなかで汚職が行われていてもおかしくはない。秋元の逮捕・起訴は、言うなればトカゲの尻尾切りであり、日本のＩＲはまさに政治家にとっての汚職天国となっているのだ。

また、贈収賄で注意しなければならないのは、表向きは個人や政治団体名義の献金でも、内実は企業からの献金であるというケースだ。09年の小沢一郎と西松建設のときはまさにそれに該当する。あのときは、ダミーの政治団体である「新政治問題研究会」と「未来産業研究会」から小沢の資金管理団体である陸山会に２１００万円、民主党支部に１４００万円の金が流れているが、両政治団体の背後にいたのが西松建設であった。

日本の政治家のほとんどが、このようにあの手この手を使って企業から金を受け取っているといっても過言ではない。政治家の99％は収賄罪に問われるべき汚職議員である。だからこそ私は「日本は汚職国家、汚職天国だ」と言っているのだ。

日本は長らく財政赤字が続いているが、その背後にも政治家の汚職がある。政治家たちは、企業からの政治献金がほしいために、企業への公共事業の発注を正規の倍以上の値段で行っている。企業はその見返りとして、便宜を図ってくれた政治家に対して、さまざまなルートで献金を行っている。1000兆円を超える危機的な財政赤字の大部分は、政治家の私腹を肥やすための無駄遣いが積もり積もってできたものなのだ。

なお、世界一位の経済大国であるアメリカも、80年代以降ずっと財政赤字が続いている。しかし、その赤字の内容は、日本とはまったく異なる。アメリカの場合は「世界の警察」として世界中に軍隊を送りこみ、毎年膨大な軍事費がかかっているために赤字になっているのだ。かたや、日本の防衛費は年々増えているとはいえ、2020年度予算で5・3兆円程度。政治家たちの汚職のための無駄遣いに比べれば、わずかな額だといえる。

日本の政治を正常化して、世界に通用するものにするには、企業や団体からの献金を一切禁止して、汚職を一掃しなければならない。

外交戦略にも金権政治の影響が

私が金権政治に危機感を抱き続けているのは、政治と金の関係が国内の政治家と企業の癒着に止まらず、外交問題にも影響を及ぼしているからだ。国土の保全や国民の安全といった国家にとっての最重要課題でさえも、金権政治家たちの欲望の道具にされているのだ。

もっともわかりやすい例でいえば、竹島の問題がある。

竹島は江戸時代から日本の領土として扱われ、明治時代以降も島根県の所管として管理されて、周辺の海では地元（隠岐の島）の漁師たちが漁を行ってきた歴史がある。しかし、第二次大戦後の1952年、韓国の李承晩大統領が突如として「李承晩ライン」という軍事境界線を主張し、竹島は韓国の支配下であると一方的に宣言。島を不法に軍事占領したうえに、周辺の海で漁をした日本漁船を拿捕したり機関銃で銃撃して、死傷者まで出る事態となった。

日本政府は韓国に抗議をして、李承晩ラインの撤回と竹島の返還を要求した。そうした日本政府の動きに対して、韓国側は金を使った政治工作を行ったのだ。

間に入ったのは、東亜相互企業株式会社の町井久之。彼はもともと東声会という暴力団の会長で、在日韓国人でもあった。韓国名は鄭建永という。そして、町井の上にいたのは、日本の政界に強い影響力を持っていた児玉誉士夫。この2人が韓国の手先となり、日本の政治家たちを操ったのだ。

金の流れは、まず韓国政府から韓国外換銀行に振り込まれ、その後韓国外換銀行から町井が社長、児玉が会長を務める東亜相互企業株式会社の口座へ。約50億円もの金が韓国から送金されたといわれる。児玉誉士夫はその金を、当時の自民党の実力者たち――岸信介、大野伴睦、川島正次郎、河野一郎らに配り、その見返りとして日本政府は竹島に対して抗議は行わないという約束を取り付けた。こうした政治工作によって、日本側の抗議活動は鎮静化してしまい、それ以降明確な返還要求がなされないまま現在に至っている。

韓国による日本政界への工作はほかにもある。

60〜70年代にかけて16年の長きにわたり大統領を務めた朴正熙の代になると、東亜相互企業株式会社が経営した銀座の料亭「秘苑」をはじめ、東京に数軒のキーセンハウスができて、そこで日本の政治家への接待が行われた。

ちなみにキーセン（妓生）とは、古くは朝鮮において外国からの使者や高官の歓待や宮中の宴会で楽技を披露する女性のことを指していたが、やがて娼婦を意味するようになり、キーセンハウスとは要するに韓国人娼婦が集まる「高級娼館」のことである。中でも銀座の秘苑は有名で、内装は絢爛豪華で御殿のような雰囲気で、酒も食事も食べ放題、飲み放題。さらに韓国から連れてこられた選りすぐりの美女たちが接待をしてくれ、訪れた日本の政治家たちは骨抜きにされたわけだ。

このキーセンハウスで韓国の〝毒〟を飲まされた政治家たちは、岸信介、笹川良一、児玉誉士夫らが設立に尽力したといわれる国際勝共連合のメンバーとなっていく。勝共連合とは、共産主義に対抗するための反共政治団体で、創設は世界基督教統一神霊協会（統一教会）の教祖・文鮮明、日本の初代会長は統一教会の会長でもあった久保木修己。つまり、勝共連合と統一教会は深く結びつき、統一教会という危険な宗教団体が日本で勢力を広げるようになった背景にはキーセンハウスでの政治工作があったのだ。

さらに、海外からの金の流れでいれば、オイルマネーについても触れなければならない。もっとも代表的な提供元は、90ページでも述べたセブン・シスターズのうちのアメリカ系石油会社、つまりはロックフェラー傘下のエクソンやモービルである。

日本で使用する石油の大部分は、日本石油がアメリカ系石油会社経由で輸入して、日本国内で販売していた。その日本石油とアメリカ系石油会社の間に入り、コミッションで金儲けをしていたのが岸信介や佐藤栄作である。彼らは虎ノ門にあった日本石油の本社内に専用の事務所をおき、全輸入量のうち約1％にあたる金額をアメリカ系石油会社から日本石油を通じて受け取り、その代わりに日本石油に対してアメリカ系石油会社から石油を買うように指示を出していた。

こうしたアメリカ経由の石油ラインを無視して資源外交を行おうとしたのが、田中角栄である。彼は、それまでの岸や佐藤のようにアメリカからの石油輸入にこだわらず、インドネシアなどから石油や天然ガスを買おうとした。当然、アメリカの怒りを買い、東南アジア歴訪の際にはＣＩＡの工作員によって扇動された反日運動によって卵や石をぶつけられたり、その姿がＣＮＮで報道されたりして、政治家としてのイメージが著しく傷つけられた。さらに、その後もアメリカ寄りの政策を採ろうとしなかったので、ロッキード事件が発覚して政治生命を断たれることになってしまった。いうなれば、アメリカのオイルマネーによってはめられたのだ。

このように日本の政治家たちの贈収賄は、国内に止まらず、外国との関係にもおよび、領土問題やエネルギー政策など国家にとって極めて重要な政策の決定が外国から流れてくる賄賂によって左右されてきた。日本の政治家たちの金権腐敗がどれほど根深いものなのか、こうした事実からもよくわかるはずだ。

腐敗する検察や警察

金による腐敗は、検察や警察にも及んでいる。一部の検察官や警察官は、ある人物や組織から多額の金を受け取る代わりに、その人物や組織にとって都合の悪い人間、邪魔な人間を逮捕する、いわば「でっち上げ逮捕」を行うことがある。このでっち上げ逮捕によって、いったいどれだけの冤罪が生まれたことか。検察や警察の金権汚職も由々しき問題である。

私自身、生涯で三度、このでっち上げ逮捕の被害を受けたことがある。

一度目は、ナミレイの会長時代。川崎定徳の社長（当時）の佐藤茂が所有していた絵画を横領した容疑で逮捕された。この逮捕は、私への個人的な恨みを晴らすため、佐藤が麻布警察署の杉本という刑事課長に500万円渡して仕組んだものである。

そもそも横領したという絵画は、私から借りていた4億5000万円の借金を返済する代わりに、佐藤自身が差しだしたもの。つまり、所有権はすでに私にあった。私はその絵に大して興味が持てなかったので秘書にやってしまい、秘書があるゴルフ場に売却をした。その話をどこかから聞きつけた佐藤が、麻布署の杉本と結託して、私を陥れるために〝横領容疑〟をでっち上げたのだ。しかし、そんな根も葉もない容疑で起訴されるはずもなく、2週間ほどの勾留・取り調べののち、無罪放免。留置所を出たあと、佐藤を締め上げたことは言うまでもない。

二度目は、74ページでも述べた高砂熱学工業事件。このときは東京地検特捜部によって、ありもしない事実や証拠が捏造されて、私の強要罪がでっち上げられた。と同時に、2年前に詐欺師の青山光雄という男を殴ってケガを負わせた件で暴行罪、1年前の殖産住宅相互から3億5000万円のビルを3000万円で回収した件で脅迫罪の容疑がかけられた。特捜部の狙いは、私が支援していた後藤田正晴の逮捕であり、取り調べのとき私に向かってはっきりと「あなたの事件には興味はない。後藤田の逮捕に協力をしてくれ」と言ってきた。しかし、特捜部の卑劣な行為に協力することを拒んだため、私は起訴されてしまい、10年間の裁判ののち、高砂熱学工業事件の強要罪では無罪を勝ち取ったものの、詐欺師を殴った暴行罪では執行猶予付きの有罪判決が出されてしまった。この高砂熱学工業事件に関連する3つのでっち上げ逮捕は、先述したように、私の人生におけるもっとも大きな岐路のひとつだと言っても過言ではない。

そして三度目が、２０１４年10月末の逮捕だ。新聞などで報道されたからご存知の方も多いかと思うが、10月28日、突如戸塚警察署の署員が逮捕状を持って事務所に押し掛けてきて、私は逮捕された。罪状は、ＣＤショップでの音楽イベントを妨害した威力業務妨害容疑。だが、これも仕組まれた逮捕であることは間違いない。

報道では詳細な状況・経過説明が省かれていたので、ここで改めて事実関係を整理しておこう。

発端は、ファッションモデルをしている私の娘の写真が、本人の知らないところであるプロダクションに販売されて、プロダクションに所属しているロックバンドのＣＤジャケットに無断で使用されたことにはじまる。自分の写真が勝手に使われていることをインターネットで偶然知った娘は、マネージャーとともに、６月某日ロックバンドのサイン会が行われていたＣＤショップに直接抗議に出向いた。しかし、そのＣＤショップは暴力団関係者が経営する店だったため、娘とマネージャーは何もできずに追い返されてしまう。そこで娘が私に電話で助けを求め、私が代わりに抗議をすることになったのだ。

駆け付けた私が店内に入ろうとすると、明らかに暴力団関係者とわかるチンピラ風情の男たちが数人、邪魔をしてきた。私は「お前ら、どこの組のもんだ！」などと言いながら、彼らを押し分けて店に入ろうとした。と、そのとき、一人の女（あとでわかったことだが、そいつがその店の経営者だった）が突進してきて、体当たりをしてきたのだ。私は瞬間的に身構え、「何をするんだ！　この野郎!!」と怒鳴りつけ、その後はその女と言い合いになった。

しばらく店の外で口論をしていると、誰かが呼んだのだろう、パトカーが到着し、4人の警察官が「路上で大声を出さないで」と間に割って入ってきた。その後、店の前だとほかの人の迷惑になるからと、近くのファミレスに移動することに。ファミレスには、私、娘とマネージャー、4名の警察官が入り（女経営者は自分の店に帰っていった）、その後プロダクション側の弁護士も急遽駆けつけて加わった。弁護士は、故意ではないものの写真を無断使用してしまったことを謝罪したうえで、正規の使用料金を支払うと申し出てくれた。相手の真摯な対応を確認した私は、「これで問題は解決した」と判断して、警察官とともにファミレスを出たのだった。

このように順を追って事実を振り返っていけば、刑事事件になるようなことは何ひとつないのは明白だ。娘とプロダクションの間の写真使用の問題は双方納得のうえで解決している。たしかにCDショップの外で大声を出したかもしれないが、それはお互い様であり、警察官が来てからは彼らの指示通りに動いている。それに私が刑事責任を問われるような行為をしていれば、警察官がその場で私を逮捕していたか、遅くとも1週間以内には逮捕状が出ていたはずだ。しかし、現行犯逮捕されることも、逮捕状が出ることもなかった。

にもかかわらず、騒動から4ヵ月後になぜか逮捕状が出されて、私は逮捕されてしまったのだ。さらにその逮捕状には、私が店内に乗り込んで、「責任者を出せ。この野郎。ぶっ殺すぞ」と怒鳴り、イベントを中断させて、店の営業を妨害した、と実際にはなかった事実まで追加されていた。不自然なことばかりである。

あとで調べてわかったことだが、この逮捕は警察が組織的に行ったものではなく、戸塚署の課長代理が独断で行ったものだったようだ。事実、警視庁のある幹部は、私が逮捕されたと聞いて、あわてて関係者を呼びだして「なぜ逮捕状を出したんだ」と問い詰めて、留置所の私に対しては「迷惑をかけて申し訳ない」とあれこれ世話を焼いてくれた。その後、20日ほどの勾留を経て、当然のことだが、私は無罪放免となった。

私とは何の関係もない戸塚署の一課長代理が、なぜ私の逮捕をでっち上げたのか。今のところわかっているのは、誰かから頼まれて逮捕状を取ったらしいということだ。では、裏にいる人物とは何者なのか。私があやしいとにらんでいるのは、双海通商の浅井健二だ。浅井はテアトルアカデミーというタレント養成学校を経営しているが、この会社は裏で相当あくどいことを行っているブラック企業である。私は自身のインターネット番組でテアトルアカデミーの数々の悪行を暴露し、関連団体による街宣活動を行っているのだが、そうした一連の私の行動に対する対抗措置として、浅井が戸塚署の課長代理に金を渡して、逮捕をでっち上げたのだろう。

私自身が被害をこうむったでっち上げ逮捕は以上の3回だが、そのほか私の知人の中にも不当な理由で逮捕されて、社会的信用や経済基盤を失ったり、名誉を著しく傷つけられた人たちが大勢いる。日本全体を見渡せば、無数の冤罪事件が起こっているのだろう。

私の場合、不当に逮捕されても権力に抵抗することをやめず、2度は無罪を勝ち取ったが、それでも高砂熱学工業事件のときは別件で起訴されて有罪判決となった。それほど検察や警察は強大な権力を持っているのだ。それゆえ、でっち上げ逮捕をされた人の多くは、戦うことを諦め、泣き寝入りしてしまう。

しかし、金のある人間の思い通りに検察や警察が動くような社会では、真実は隠ぺいされ、正しい見識を持つ人も逮捕されることを恐れて何も言えなくなってしまう。そこに正義はなく、ただ腐敗や堕落が広がるだけだ。そんな世の中に未来があるはずがない。ゆえに清廉潔白な政治の力をもってして、検察や警察を改革しなければならないのだ。

情報機関としての在外大使館改革

世界のパワーバランスの再編が始まっていることは、すでに述べた。

激変する世界情勢の中で日本が生き残っていくには、確固とした国家戦略に基づいて、各国との外交関係を構築していかなければならない。そのための要となるのが、外務省であり、その前線基地としての在外日本大使館だ。

各国におかれた在外日本大使館が、国家戦略に基づく情報機関として機能していないことは第1章でも話したが、その状況は今も変わっていない。それは、2015年1月に起こったイスラム国による日本人人質事件への対応でも明らかだ。

この事件に関しては、そもそも直前の安倍晋三の中東歴訪がまずかった。安倍はエジプト、ヨルダン、イスラエル、パレスチナを訪問して、各国要人らと会談。エジプトで行われたスピーチで「ISIL（イスラム国）と戦う周辺各国に2億ドルを支援する」と表明するなど、総額25億ドルもの支援を各国に約束した。

イスラム国と戦っている国々に対して「イスラム国対策だ」と言って金をばらまけば、イスラム国が日本を敵対視するのは当然だ。案の定、安倍がイスラエルにいるとき、イスラム国の声明がインターネットで公開されて、日本政府は計2億ドル（約236億円）の身代金を要求された。イスラム国に日本人が拘束されているという情報はすでに前年10月に日本政府に入っていたというから、まったくもって不用意な中東への支援表明だったといえよう。

さらに、その後の対応も最悪だった。日本政府は人質解放のための交渉に動き出すが、いかんせんイスラム国に対してのコネクションがなかった。そこでヨルダンに現地対策本部をおいて、ヨルダンルートを使ってイスラム国との交渉を試みた。しかし、ヨルダンは交渉窓口役として明らかに不適切だった。なぜなら、当のヨルダンもイスラム国に人質をとられており、その解放すらままならない状態。自国民すら解放できないのに、ほかの国の人質を解放できるはずがない。実際、日本政府の関係者は、ヨルダンに行ったものの、人質解放に向けた具体的な動きは何もとれなかったのではないか。結果、日本人の人質2人は殺害されてしまった。

この人質事件を通じて、またしても日本政府（および外務省と日本大使館）は国際的な危機対応能力がゼロであることを露呈した。海外で事件が起こり、そこに日本人が巻き込まれたとしても、裏で交渉や工作をしたり、救出をする能力はない。日本政府は相変わらず無能、無策で、国民は犠牲になるだけなのだ。

イスラム国の問題は、19年の拠点の完全制圧や米軍による指導者殺害によって収束していくと見られていたが、実際には残党は各地に潜伏し、20年に入って勢力を再び盛り返してきている。

私の見立てでは、イスラム国の問題には触れないことがいちばんだと思う。敵対する国に支援するべきではないし、日本自らが敵対視されるような行動は慎むべきだ。徹底的に中立を維持して、一定の距離を置く。これが日本がとるべき唯一の道である。

なぜなら、イスラム国の背後には、アメリカの軍産複合体の複雑な思惑があるからだ。そのことを理解するには、シリア内戦から中東の動きを読み解く必要がある。

もともとシリアは、社会主義的色彩の強い、安定的な平和国家だった。しかし、アラブ世界全体に吹き荒れた「アラブの春」の影響で、シリアでも2011年1月に反政府活動が勃発。その後、反政府活動は拡大の一途をたどり、政府治安部隊と反政府勢力の衝突が激化して、多数の死者も出た。そして、アメリカやEU各国は、シリアへの制裁へと動きだした。

アラブの春が、一般に報道されているように「アラブ世界における民主化運動」などではなく、アメリカのＣＩＡをはじめとした西側勢力によって意図的に作り上げられた紛争や反政府活動であることはすでに述べたが、シリア内戦も同様である。

シリア内戦において武装闘争を展開した反政府組織「自由シリア軍」に資金を提供していたのは、アメリカのＣＩＡのほか、イスラエル、サウジアラビア、カタールなどの中東各国である。では、なぜこれらの国がシリアのアサド政権を倒そうとしたのかといえば、そこにはパイプライン問題がある。

サウジアラビアとカタールが自国の石油や天然ガスをヨーロッパ各国に売るには、シリアやトルコを通過するパイプラインの建設が欠かせない。しかし、シリアのアサド政権は親ロシア派であり、サウジアラビアやカタールのパイプライン建設を妨害してくる恐れがあった。なぜなら、中東からの石油や天然ガスがヨーロッパに流れるようになれば、ロシアからの石油や天然ガスが売れなくなってしまうからだ。そこで、サウジアラビアやカタールはアメリカのＣＩＡやイスラエルと結託して、アサド政権打倒に動いたというわけだ。

だが、度重なる反政府活動にもかかわらず、ロシアがアサド政権を徹底的にバックアップしているため、アサド政権はまったく倒れる様子を見せなかった。焦ったアメリカは「アサド政権は自国の反政府勢力に対して化学兵器を使用した」とでっち上げて、国連決議によってシリアに対する制裁を行おうとするが、ロシア・中国が拒否権を発動することで実行できず。シリア国内での反政府勢力による活動もダメで、国連決議によるシリア空爆もできないとなり、ＣＩＡの対シリア工作は完全に行き詰ってしまった。

そこで苦肉の一手として出されたのが、イスラム国なのだ。スンニ派過激武装組織を支援して活動を活発化させて、そのうえで「イスラム国は罪もない人々を大勢殺している」「彼らこそ人類の共通の敵だ」というプロパガンダを世界中に流布したうえで、アメリカ、サウジアラビア、アラブ首長国連邦、バーレーン、カタール、ヨルダンなど有志連合でシリア空爆を開始したのだ。

ついこの間まで「アサドをぶっ潰せ」と言っていたのが、それが難しいとなると、今度はイスラム国の勢力を拡大させて、「イスラム国を倒せ！」と空爆を始める。シリアを自分たちの思い通りにしたいという目的のためだけに、めちゃくちゃなことをやっているのは一目瞭然だろう。要するに、シリア内戦も、イスラム国の拡大も、イスラム国に対する空爆も、すべて金儲けのために作り出された、でっち上げの紛争、戦争である。

こうしてイスラム国問題の背景を知れば、イスラム国問題に首を突っ込むべきではないこともわかるはずだ。にもかかわらず、安倍が中東を歴訪し、「イスラム国対策に金を出す」と言ったのは、安倍自身はもとより、外務省や日本大使館が、国際的な軍事情勢について無知で無神経で、戦略性がまったくない証拠である。

繰り返すが、今、世界の勢力図は劇的に変化している。その中で日本が生き残っていくには、私が常日頃言っているように、独立国家としての戦略的な外交、戦略的な安全保障体制の確立に、真剣に取り組まなければならない。

何か事が起こったとき、馬鹿の一つ覚えでアメリカに頼るのではなく、世界情勢を見極めて、問題解決のためにもっとも効果的な国や組織とつながりを持ち、交渉に当たる。たとえば、イスラム国の人質問題であれば、私ならばヨルダンに対策本部を作るような無駄なことはせず、真っ先にイスラエルのモサドに向かっただろう。しかるべき筋から情報を集めれば、イスラム国の裏の裏にいるのがモサド出身のサイモン・エリオットであり、モサドに話をつけることが人質解放の最短ルートであることがわかるはずだ。

本来であれば、各国の日本大使館がそうした情報収集や各国の要人とのコネクション作りを日ごろから徹底して行い、そこで集められた情報を外務省が集約したうえで、国家としての戦略を定めて、首相をはじめとした政府の主要人物の動きを決めるべきなのだ。

しかし、現実には日本大使館も外務省も普段からそうした動きをまったくしていないため、いざというときに何もできないという情けない姿をさらすことになる。安倍の中東訪問とその後の人質事件への対応は、日本の外交力や情報収集力、日本政府の統治能力のなさを全世界に向けて露呈した。

外務省と日本大使館を国際情報機関として機能するように早急に改革しなければ、激変する国際社会において、日本の未来はないと言っても過言ではない。

私が見てきた日本の政治家

今、世界で起きているさまざまな問題を解決するには、政治がリーダーシップをとらなければならない。しかし、ここまで述べてきたように、日本においては戦後半世紀以上にわたって政治の世界に金権腐敗、汚職がはびこり、まともな政治が行われていない。では、戦後の日本には真の政治家は一人もいなかったのかといえば、そんなことはない。ほんの一握りではあるが、未来の人々が手本にするべき人物はいる。

ここでは戦後の政治家に対する私の評価を述べながら、理想の政治家像について語っていきたい。

日本の戦後の歴史の中で、もっともすぐれた政治家、唯一私が総理大臣として認めている政治家は、吉田茂である。

彼の政治的なスタンスはアメリカ寄りだったといわれているが、敗戦直後という状況を考えれば、その姿勢はある程度仕方のない面がある。彼が優れている点は、表向きは親米的な雰囲気をまといながら、その実は日本の国益を最大限に守ろうとしたことだ。戦前には外交官として駐英大使、駐伊大使などを務めていた経験があったため、外交の何たるかを知っていたからこそだろう。戦争に負けた日本を何とか立ち直らせるという信念を持ち、アメリカとの駆け引きを繰り広げた吉田は、質実剛健、清廉潔白、公明正大という資質を十二分に備えた人物だと思う。

私と深い付き合いのあった後藤田正晴も、首相にはならなかったが、戦後日本を代表する政治家のひとりだ。

彼は警察官僚出身の真面目な男で、主義主張は自らの信念に基づき、常に一貫していた。彼の質実剛健さは、内閣官房長官時代に部下に訓示した「後藤田五訓」にも表れている。その内容は次の通り。

一、出身がどの省庁であれ、省益を忘れ、国益を想え
二、悪い本当の事実を報告せよ
三、勇気を以って意見具申せよ
四、自分の仕事でないと言うなかれ
五、決定が下ったら従い、命令は実行せよ

また彼は、内閣官房長官が座長を務める事務次官等会議において、各省庁の事務次官たちを束ねて、各省庁の動きを完璧に掌握していた。日本の頭脳ともいえるトップエリートたちをまとめ上げた、その指導力はやはり大したものだといえる。

吉田茂、後藤田正晴の二人は戦後日本を代表する名政治家だといっていいだろう。

ほかに私の目から見て評価に値する人物としては、石橋湛山、緒方竹虎、池田勇人あたりがいる。彼らも金にきれいで、信念を持って政治に当たっていた。

まともな政治家として思いつくのは、以上の人物ぐらいか。

ほかの政治家たちは、政党を問わず、ほとんどがダメ。金に汚い、信念がない、質実剛健さがないなど、政治家としての資質を欠いている者ばかりだった。

戦後の日本の政界にまともな政治家が育たなかった最大の要因は、GHQの占領政策に端を発するアメリカによる支配だ。そして、それを仲介したのが、児玉誉士夫、笹川良一ら売国奴たちである。

児玉誉士夫は戦後、海軍の物資を盗んで、それを売って手に入れた莫大な金を元手に、鳩山一郎、大野伴睦、川島正次郎という大物政治家とのつながりを強め、政界に影響力を持つようになった。また、一度はA級戦犯として逮捕されるも、アメリカに協力する姿勢を見せて釈放。その後、アメリカの手先となって、日本国内で活動した。笹川良一も戦後にA級戦犯として巣鴨プリズンに収監されるが、その際にGHQの調書に協力して戦犯の名前をべらべらしゃべったことで釈放。彼はその後モーターボート利権をもらい、その収益で巨万の富を築き、児玉同様に日本の政界に影響力を持つようになった。

この二人を経由して、アメリカなどから金が流れることで、日本の政治家たちはみな骨抜きにされて、アメリカの指示通りに動く売国奴政治家となっていったのだ。それが大野伴睦、川島正次郎、岸信介、佐藤栄作らである。

私が先ほどまともな政治家として名前を挙げた石橋湛山、緒方竹虎、池田勇人らのように、アメリカの指示通りにならない、日本の政治家としての矜持と信念を持った者もたしかにいた。しかし、そうしたアメリカにとって邪魔な政治家は、売国奴たちに潰されて、政界で強い力を持つに至らなかった。

そして結局は、アメリカの飼い犬のような政治家が日本のトップを牛耳るようになり、日本の政界は堕落、汚職だらけとなっていったのだ。

こうした金にまつわる悪しき慣習は、現在もなお連綿と続いている。その代表とも言えるのが、憲政史上最も長く首相を務めた、前内閣総理大臣の安倍晋三である。

安倍晋三は、アベノミクスと呼ばれる一連の経済政策をはじめ、表向きは政治家として強いリーダーシップを発揮していたように見える。だが、その実態は、政治的なポリシーは何も持っておらず、熱心に取り組んでいた政策のほとんども裏で彼を操っていた権力者やブレーンたちにいわれてやっていただけ。要するに、操り人形のような男だったのだ。

安倍を背後から操っていた人間のうち、もっとも力を持っていたのは、派閥のオーナーである森喜朗である。また、安倍内閣で副総理、財務大臣、金融担当大臣などを兼務した麻生太郎も安倍に対して強い影響力を持っていた。ただ、この二人はともに総理大臣として失敗している過去があり、影響力があったといっても政治家としては大した人物ではない。アベノミクスなどの経済政策も、安倍自身の考えというよりも、彼のブレーンであったイエール大学名誉教授・浜田宏一の意見に従って行っていたに過ぎない。

安倍晋三という政治家は、自分の頭で考え、決断する力はほとんどないといっていい。ただし、誰かが書いた脚本を、さも自分のアイデア、自分の言葉であるかのように演じる能力は、年齢を重ねたことで長けている。首相時代の安倍が強い指導力を発揮しているように見えたのも、その演技力の賜物である。

演技力、パフォーマンス力はあるが、政治家としての思想哲学はゼロ、質実剛健さや清廉潔白さもゼロ。それが私の安倍に対する評価であり、つまりは総理大臣の器ではなかったということだ。

今、政治家を志す人物のほとんどが、理想もなければ、国家や世界のために身を粉にして働こうという情熱もない。彼らにあるのは「当選をして、献金によって安定収入を得たい」、「あわよくば利権によって大儲けしたい」という金銭的欲求だけ。要するに一般企業に就職活動をするのと似たような動機なのだ。

このように政治を志す者自身が、政治を極めて低い次元で見ているから、日本の政治からは汚職がなくならないし、国家や世界のために働こうという人材も出てこないのだ。金儲けや安定した生活のために、政治をやろうなんて発想は馬鹿げているとしかいえない。

こうしたことが、日本の政治の質を世界でもっとも低い部類に貶めている原因である。

吉田茂や後藤田正晴がそうであったように、政治家たるもの、まずは質実剛健、清廉潔白、公明正大でなければならない。そのうえで、国家や世界をよりよくするための信念や哲学を持ち、それを実行していく。まわりの人間を束ねる指導力、リーダーシップも必要だ。こうした人物こそが政治家になる資格がある。

新しい世界に向けて、日本がすべきこと【3】
～教育、放送の改革～

ここまでは主に政治家の問題を指摘してきたが、そうした金権汚職政治家を国政の場に送りこんだのは国民であることを考えれば、国民自身も変わっていかなければならない。

今の日本が衆愚民主政治に陥っていることはすでに指摘した。主権者である国民が愚かであるから、選ばれる政治家も口先だけの三流政治家ばかりなのだ。

では、なぜ国民がこれほど愚かになってしまったのかといえば、大きく2つの原因がある。「教育」と「放送（マスコミ）」の問題だ。

まず、教育についてであるが、日本は教育システムが崩壊しているといっても過言ではない。

もともと学校は、地域社会や国家、世界のために働ける有為な人材を育成する場所であった。優れた人材を育成するには、優れた教師が不可欠だ。それゆえ、戦前までの日本には、初等・中等学校教員の養成、つまり師範教育を目的とした師範学校が存在していた。

しかし、現在の日本の学校はどうか。戦後、師範学校の制度は廃止され、教員の質は低下する一方だ。今の時代、教員になろうとする者は、頭脳明晰かつ質実剛健で教員になるべき資質を十分に備えた優秀な人間ではなく、「企業への就職ができないから、教員になろう」というデタラメな落ちこぼれ人間ばかりが集まっている。そんな最低な人間に教職が務まるはずがない。生徒たちも教員に対して尊敬の念を持てないし、真摯に教えを受けようという気持ちにもならないだろう。

実際、私の娘が小学校6年生のときに、こんなことがあった。

娘のクラスを28歳の男性教員が担任することになったのだが、その男性教員は典型的なダメ教員で、授業もまともにできず、明らかに間違った内容をときどき口にしていたそうだ。そのたびに生徒たちから「先生、違ってますよ」と指摘され、そのうちに「あの先生はバカだ」と見下されるようになってしまった。まさに自業自得だと言えよう。さらにダメなのは、生徒たちから「バカだ、バカだ」と言われるのが怖くて、毎日職員室で泣いていたらしく、やがてノイローゼになって学校に来られなくなり、最終的には精神病院に入ってしまったのだ。

教師の質がこれほど劣悪化しているのだから、子供たちにまともな教育ができるはずもない。また、教えているのは、受験に受かるための勉強ばかり。まったく教育の態をなしていない。教育の空洞化は深刻な問題であり、教育改革は急務である。

国民の衆愚化に、マスコミ、特にテレビが及ぼしている影響も甚大だ。

今、地上波を見れば、くだらないお笑い番組や情報番組、テレビショッピングばかりで、視聴者の害になるようなものばかりを垂れ流している。

もちろん多少の娯楽はあってもいいと思う。すべてを教育的な番組にする必要はないが、全体的にもう少し品のいい番組を作るべきじゃないかと感じているのは私だけではないだろう。

先日もある知り合いと会ったとき、「今のテレビはひどい」という話になり、テレビ局に番組の改善要求、コンテンツの質の向上を求める組織を作るために動くこととなった。

マスコミがもう少しまともになり、伝えるべき情報を伝えるようになれば、国民の意識も変わるはず。そういう意味で、放送改革、マスコミ改革もこれからの日本には不可欠だといえる。

武道を通じて世界とつながる

日本が中心的役割を果たしながら、新しい世界秩序を築くためには、政治以外の方法もある。それは武道を通じた世界的ネットワークの構築だ。

あまり知られていないが、世界各国の政界や経済界の要人には武道経験者が多い。たとえば、インドネシアの軍隊では松濤館流空手が採用されており、軍人は全員空手の訓練を受けている。それゆえ、元軍人の政治家や経営者はみな松濤館流の弟子となり、松濤館流の家元だった金澤弘和がインドネシアを訪れると、日本の政治家なんて比べものにならないほどの国賓級の歓迎を受けていた。金澤は生前、世界各地で空手の指導をしており、ハワイ空手連合会、イギリス空手道連盟を設立、ドイツ空手道連盟の首席師範を兼任するなど、まさに武道を通じた世界的なネットワークを築いていた男だ。

また、モンゴルの政界にも空手経験者が大勢いるし、南米やアフリカにも多い。ヨーロッパではドイツ政府の閣僚に何人かいる。もっとも盛んなのは旧ソ連の国々で、旧ソ連の国々で空手が盛んなのは、ＫＧＢで空手を教えていたという歴史的背景がある。

ロシアではこんなこともあった。08年、極真空手の大会がモスクワで開催されることになり、私は極真の盧山初雄と剛柔流の東恩納盛男とともにモスクワへ向かった。私の狙いは、大会に来賓として訪れる予定だったプーチンと接触し、世界のさまざまな問題について直接話し合うことだった。しかし、折り悪くリーマンショックが発生して、ロシア経済は大混乱に陥り、その対応のためプーチンは欠席。プーチンと会えなかったことは残念だったが、その代理として出席したモスクワの副市長が、剛柔流空手の弟子にあたるセルゲイだったのだ。彼は、大会の主催が極真だったため、流派の異なる東恩納と私が来ているとは思ってもみなかったようで、私たちの姿を見つけるととても驚き、「なんで事前に教えてくれなかったのか」と嬉しそうに言った。そしてすぐにゲストルームに案内してくれて、料理や酒を次々に出して大歓迎をしてくれたのだ。国は違えど、同じ流派のつながりを強く感じた出来事である。

このように武道ネットワークは各国の要人たちと密接につながっている。

もともと日本で発祥した空手、柔道、剣道、合気道などの武道は、現在世界中に広まっている。世界各地に散らばる武道の団体をつないで連携することができれば、世界統一のひとつの土台となる巨大組織になるはずだ。私が80年代に日本の空手の流派を集めた「空手道本庁宗家家元会議」や日本の武道を束ねる「武道総本庁」を設立したのも、そうした構想に基づいている。

オウム真理教黒幕疑惑によって当時主宰していたさまざまな研究会や政治団体はことごとく自然消滅したが、右の武道関連の団体だけは私のもとに残り、その後も活動を続けてきた。

13年にカンボジアで「カンボジア&日本親善文化交流空手道武道祭」が開催されたが、そこに和道流、松濤館、剛柔流、糸東流、フルコンタクトという五大流派の家元・幹部などを一堂に集めたのは、私の空手道本庁宗家家元会議であった。それゆえ武道祭の主催者として、カンボジア王国国防省に並んで、空手道本庁宗家家元会議の名前があったのだ。

ちなみにこの武道祭は、元山口組系後藤組組長の後藤忠政が中心人物のひとりとして関わっていたことでも大きな話題となった。後藤は、カンボジアで起こした事業で成功して、国王から直々にカンボジアの爵位を授与されるなど当地で大きな影響力を持っている。この武道祭も後藤の発案で、金も彼が出している。そこに私の空手道本庁宗家家元会議が力を貸してやったというわけだ。

このカンボジアの武道祭のような大会を世界各地で開催すれば、武道を通じた交流ができて、ひいては巨大なネットワークに育っていくはずだ。そして、そのネットワークを空手道本庁宗家家元会議が統括すれば、世界的な組織になることは間違いない。

現在、国内外にはさまざまな空手団体が存在している。世界的な組織としては、世界空手道選手権大会などを主催している世界空手連盟（World Karate Federation／ＷＫＦ）や、私が総裁を務める世界空手道連盟（World Karate Association／ＷＫＡ）などがあるが、どれも世界中の空手組織を統一するものではない。空手が新しい世界秩序の構築に寄与するためにも、何としても空手組織の世界統一を果たさなければと思っている。

また、武道関係でもうひとつ、以前から私が力を入れてきたのが、空手道本庁宗家家元会議の本部建設だ。

世界的なネットワークができた暁には、世界各地の空手道場に真の空手道を伝えていく必要がある。とはいえ、今の私には、いちいち世界中の道場を尋ねていく時間はない。そこで宗家家元会議の本部道場を建設して、そこからインターネットを通じて世界に配信していこうという計画を立てたのだ。

本部道場では、私が空手道の真髄を語り、各流派の家元には交代で演武をやらせて、彼らにも話をしてもらう。その映像を世界中の道場に向けて発信すれば、日本は空手母国としての尊敬と信頼と羨望を集めることができ、世界中の空手道場をひとつにまとめることができる。家元会議が何かを発すれば、世界的な空手ネットワークを通じて、全世界の空手家たちが一体になって動く。彼らは日ごろから厳しい心身の鍛錬を重ねているので、いざ戦う場となれば一線級の戦士、武士となるはず。そんな強靭な組織を目指している。

インターネットテレビを駆使して、社会に提言

10年代に入ってからは、インターネットテレビ「ＪＲＰテレビジョン」を駆使して、私の主張、社会に対する提言を世の中に発信しつづけている。ちなみに、ＪＲＰとは「Japan Revolution Party」の略である。

ご覧になっていただければわかると思うが、テーマは非常に多岐にわたっている。政治や国際問題はもちろん、経済、芸能界、格闘技、司法、メディア、ブラック企業など、私がこれまで関わってきたこと、過去の経験と見識によって表現できることのすべてを語っていこうと考えている。

テーマ数はすでに相当な数になっているが、最終的には５００ぐらいのテーマにしたい。なぜ私がこれほどまで精力的にインターネットを通じて発信しているのかといえば、ひとつには自分に残された時間を意識しているからだ。

私は80歳となり、生きられても、あと十数年だろう。残された人生は少ない。ならば、生き

ているうちに、世の人々に伝えておかなければならないことを、すべて語っておこうと思ったのだ。これまでの半生で私が見聞きしたこと。この世界の隠された真実の姿。私がこれまで何を考え、何を為してきたか。そして、世界を滅亡から救うため、人類は今何を為すべきか。話すべきことはいくらでもある。

さらに欲をいえば、私の番組を見ている不特定多数の中から、たった一人でもいい、「よし、オレがやってやろう」と国家や世界を変えるために本気になって立ち上がってくれる人が出てくれれば、とも思っている。私はすでに金も力も若さも失ってしまったが、私の番組を見て、誰かが私の志を受け継ぎ、行動を起こしてほしいのだ。

革命は常に一人の人間の思想、哲学、意志力から湧き上がる。彗星のごとく現れた一人の人間がまわりの人々を巻き込み、時代のうねりを起こし、そして世界のあり方を変えていく。それが革命というものだ。過去の歴史を振り返っても、革命的行動を起こした人々――ナポレオンだって、西郷隆盛や坂本竜馬だって、キューバのカストロやチェ・ゲバラだって、出発点は「世界を変えよう」とする一人の人間の熱き思いだった。

世界のどこかにはそんな一人が必ずいるはず。私はその一人に向かって語りかけているつもりだ。

今から30年前、私が世界中を飛び回っていたころは、その一人と出会うために飛行機に乗って世界各地に出向き、人と会って、話をする必要があった。刺激的な体験ではあったが、やはり時間も金もかかるし、体力がいる。

しかしインターネットを使えば、東京にいながら、世界中の人々に向かって語りかけることができる。しかも、数十年後、私が死んだ後も私のメッセージは残り、世の人たちに影響を与え続けることができる。本当に便利なツールである。

数年前、アメリカにいる息子の一人から電話があり、「パパ、アメリカで有名人になっているよ」と教えてくれた。聞けば、アメリカのインターネット番組で私のドキュメンタリーを放送したらしく、それが評判になっているというのだ。私自身も知らないところでこれほど拡散しているとは、正直驚きだった。

また、私がインターネットメディアに魅かれるのは、メディアのあり方を根本的に変えたからだ。

これまで情報発信はテレビやラジオなどに限られ、そのテレビやラジオは大手メディア企業、そしてその背後にいる権力者が牛耳っていた。結果、彼らにとって都合のいい情報、国民を愚かにするくだらない情報ばかりが垂れ流され、国民が本当に知るべきこと、政治家やメディア企業にとって都合の悪い情報は隠ぺいされてきた。

しかし、そんな状況をインターネットが一変させたのだ。インターネットでは誰もが発信できて、誰もが受信できる。それは画期的なことである。

今、私がインターネットテレビを通じて語っていることも、既存のメディアでは決して放送されないだろう。それは権力者にとって不都合な真実ばかりだからだ。だが、古今東西、往々にして権力者によって隠される情報にこそ真実はある。

今の世の中で権力と対決できるメディアは、インターネットメディアしかないと考えている。ぜひ私のインターネットテレビをご覧いただきたい。

宇宙意識を持って、世界を見つめてほしい

世界統一機構と世界憲法、ユーラシアアライアンス、世界一周道路……私のこうした構想を聞いて、非現実的であるとか、誇大妄想だとか感じている読者の方もいるかもしれない。

しかし、そう感じるのは、世界を見る視点が低いからに過ぎない。

地球規模、宇宙規模の視点を持てば、自ずと私と同じような発想が浮かんでくるはずだ。私はそうした視点のことを「宇宙意識（コスミック・コンシャスネス）」と呼んでいる。宇宙意識とは、その言葉通り、宇宙を意識すること。心に宇宙スケールの視点を持って、自分やまわりの人々、国家や世界について考えることだ。

それまで自分の身のまわりのことにしか目を向けられなかった人が、宇宙意識を持てば、途端に世界の見え方が変わり、革新的、創造的な発想も浮かんでくるようになる。

今、世界の動向は刻一刻と変わっている。変化のスピードも速く、一瞬前に最新だったものが、一瞬後にはもう古くなっている。そんな世界において、人類や地球の未来のための最

善の策を考え、実行していくには、目先のことを追っているだけではダメだ。世界を変えるためのアイデアは、宇宙意識を持って世界全体を大局的な視点から見つめ、本質を見抜く必要がある。要するに着眼大局だ。

宇宙意識を持つためには、日ごろから宇宙のこと、世界のことを想像し、考えつづけなければいけない。地球とは何か、宇宙とか何か。そしてそこに生きる自分という人間とは何か。容易に答えは出ないかもしれない。しかし、そういう宇宙的、哲学的な問いについて、考えつづけることが重要なのだ。すると、自ずと宇宙スケールの視点を持つことができるようになり、相対的に世界や国家のことは小さく感じられるようになる。地球がまるで自分の手のひらに乗っているボールのような感覚になり、世界各地で起こっているさまざまなことが身近なこととして感じられるようになる。また、現在という時間的な点にとらわれず、過去や未来に延びる何億年、何十億年という長大なスパンの時間を意識する。すると、地球や人類の歴史もひと目で見渡せるような感覚になる。

世界統一機構やユーラシアアライアンスという構想は、そうした視点から生まれてきたものなのだ。

戦後の世界は長らくヨーロッパとアメリカが支配的な立場を担ってきた。しかし、地球の歴史を振り返れば、盛者必衰こそが理であり、いつまでもヨーロッパやアメリカの時代が続くはずがない。事実、ヨーロッパやアメリカの凋落を示すような出来事が近年次々に起こっている。では、次の覇権はどこかと考えたとき、さまざまな要因（リーダーの存在、国家戦略、政治の勢い、資源のこと、国土のこと……など）を検討すると、やはりロシアを盟主とするユーラシアしかないという結論に至るのだ。

また、日米関係でいえば、戦後アメリカが日本に基地をおき、政治的にも支配を続けたのは、東西冷戦の最前線として利用しようとしていたからだ。しかし、ソ連崩壊による冷戦終結後、日本の重要性は格段に低くなってしまった。だが近年、ロシアや中国をはじめとしたユーラシア勢力が台頭してきているなかで、アメリカは再度日本の戦略的な価値を見直すことになるだろう。そのとき、日本が今まで通りの従属奴隷外交を続けるようなら、今後数十年間ふたたびアメリカの支配下に入ることになる。だからこそ、毅然とした態度で「脱アメリカ　親ユーラシア」を示し、アメリカから本当の意味で独立しなければならない時期に来ているといえる。

私にいわせれば、日本の政治家も、学者も、メディアの人間も、目先の欲に目がくらんだり、表面的にしか物事を見ることができていないため、時代の先行きがまったく読めていない。先行きが読めていなければ、当然正しい行動を起こすことはできない。

今必要なのは、宇宙意識を持って、世界のこれまでを振り返り、これからやるべきことを考える。そして、やるべきことが決まったら、生きるか死ぬかの真剣勝負でその実現に向かっていく。

もはや悠長なことは言っていられない。人類は今、存亡の危機にさらされているのだから。

終章

託す

本気で生きた人間の思いは伝わる

今でも私のところには日々多くの人が訪ねてくる。

そのほとんどは何かに困っている人で、私に助けを求めてくる。困っている人、虐げられている人を見ると放っておけない私は、彼らの話を聞き、できるかぎり彼らの力になってやろうと努めている。弱者救済は私のポリシーでもあるのだ。

そうやって訪ねてくる人たちの中に、わずかではあるけれども、私の志を継いで行動を起こしたいという若者もいる。

彼らは、私の理想、哲学に共感を示し、私が為しえなかった数々のプロジェクトを自分の手で実現させたいと熱く語る。ただ、困ったことに、彼らのように理想に燃える若者のほとんどが資金的な問題を抱えている。志はあるが、それを実現させる金がない。それが今の理想に燃える若者の現実だ。

一方、私のまわりには株・土地の売買や会社経営によって膨大な資産を得ている者も大勢いるが、そうした金を持っている者は夢とか理想とかに金を使うことはほとんどしない。彼らは「金をどぶに捨てるようなことはできません」とはっきり言う。

そんな物言いに対して、私としては納得できない部分もあるが、彼らの考えを理解できないわけでもない。今の時代、金儲けだって簡単ではない。死にもの狂いで働いて手に入れた金を、自分に見返りがあるかどうか定かではない平和プロジェクトに全額つぎ込もうという発想は、余程の馬鹿でなければできないだろう。

理想はあるが、金がない。金はあるが、理想がない。現代ではどうしてもその二者に分かれてしまう。

そう考えると、自分は本当に恵まれていたと思う。

もちろん自分も必死になって働いていたが、高度経済成長という追い風もあった。土地や株を買えば、倍々で増えていくような時代だ。20代であり得ないほどの富を手にすることができたから、そのお金を政治活動や海外の革命運動の支援などにつぎ込むことができた。傍目には無駄なことに大金を使っているように見えたかもしれないが、私には大いなる理想があり、その実現に向かってすべての時間と金を費やすことができたのは幸せだった。

世界的に見ても、革命的な運動や政治活動にお金を投資するのは、貴族の家柄の人物や大企業の会長など時間と金を持て余しているような人ばかりである。そういう人は目先の金を追う必要がないので、何十年、何百年のロングスパンで物事を考えることができ、必要なところに膨大なお金を費やすことができる。

日本の場合、そういう貴族的な大人物が政界や経済界で力を持っていたのは明治や大正時代まで。初代は志も金も持っていたかもしれないが、それ以降は家系が続き名前は残っていても、代替わりするたびに小物になり、自分の家の土地や既得権益を守ることばかりに執着するようになっていった。

今の時代、理想もあって、金もある、という人物を見つけるのは、なかなか難しい。だが、諦めているわけではない。なぜなら、私のまわりでも、希望の灯がいくつか灯りはじめているからだ。

もっとも身近なところでは、私の子供、孫たちがいる。私には57人の子供がいて、上は50歳近く、下はまだ10歳にも満たない年齢だ。成人した子供たちはそれぞれ仕事に就いているが、彼ら彼女らの何人かは私の志を受け継いで仕事に生かしてくれている。

私にはひとつの信念がある。

「本気で生きた人間の思いは、時代を超えて誰かに伝わっていく」

今の私は、30代、40代のころのように、日本を飛び出し、革命的な運動に身を投じることはできない。しかし、理想は燃え尽きることなく、今も私の中に強く残っている。その理想を、誰かに託したい。そんな思いから本書を書いた。子供たちでもいいし、本書を手に取った見知らぬ誰かでもいい。誰かが私の遺志を継承して、日本のため、世界のために動き出してほしい。

誰かに引き継がれることで、私の理想は生きつづける。それこそが、私がこの世に生きた証になると思うのだ。

著者紹介

朝堂院大覚（ちょうどういん・だいかく）

1940年12月9日、大阪市生まれ。同志社大学法学部卒。武道家、空手家。日本連合総裁及び世界空手道連盟（WKA）総裁。武道総本庁総裁。空手道本庁宗家家元会議総裁。居合道警視流の宗家家元、剛柔流空手道九段。東亜ビル管理組合顧問。全アジア条約機構推進委員会委員長なども務める。

1978年、スパイ防止法制定を目的に設立した法曹政治連盟総裁に就任。井本台吉検事総長、横井大三最高裁判事、佐藤立夫早稲田大学名誉教授（憲法裁判所創設委員会会長）らがメンバー。

1980年、非核諸国同盟会議を開催。故アラファト議長、カストロ議長、故後藤田正晴（元官房長官）等が参加した。

1982年にはニカラグア運河開発計画を発表。国際運河開発公団の総裁に就任。ダニエル・オルテガ大統領と計画を進める。

1983年、ユーラシア帝国財団を設立。

1988年、国際宇宙法学会を創設、140ヵ国の学者による研究学会を発足させた。早稲田大学の佐藤立夫名誉教授とともに憲法裁判所創設委員会を設立。

80年代から90年代にかけてはニカラグアのダニエル・オルテガ、フランスのフランソワ・ミッテラン、イギリスのマーガレット・サッチャー等、東西各国の国家元首と交流を持ち、各国の活動を様々に支援し、他にKING OF POPマイケル・ジャクソンと国際宇宙法と世界宗教大会を通じて厚い友情を交わすなど、その交流関係、活動範囲は多岐にわたる。

現在も世界、ひいては宇宙の平和のために日々尽力している。

朝堂院大覚《ちょうどういんだいかく》の生《い》き様《ざま》

～ユーラシア帝国《ていこく》の実現《じつげん》を願《ねが》った男《おとこ》～

発行日　2020 年 12 月 9 日 初版発行
　　　　2020 年 12 月 26 日 第 2 刷発行

著　者　朝堂院大覚

発行者　酒井文人
発行所　株式会社説話社
　　　　〒 169-8077 東京都新宿区西早稲田 1-1-6
　　　　振替口座／ 00160-8-69378

企画協力　谷山宏典
編集担当　高木利幸
撮影　　　泉山美代子
デザイン　染谷千秋

印刷・製本　中央精版印刷株式会社

ISBN 978-4-906828-66-1　C 0095

落丁本・乱丁本などのお問い合せは弊社販売部へメールでお願いします。
E-Mail：hanbaibu_s@setsuwa.co.jp